市町村議員のためのわかりやすい新地方公会計

【編著】青山公会計公監査研究機構
【監修】青山学院大学名誉教授　鈴木　豊

議会・自治体での審議事例のポイント解説！

中央文化社

はじめに

地方公共団体の新地方公会計統一基準が設定され、各団体が財務書類を作成している。各団体は財務書類を活用して行政の活性化に取り組んでいる。自治体運営の要は、住民のニーズを取り上げ行政府と立法府すなわち議員が一体となって住民の福祉向上と当該団体の行政上のリスクを最小化する活動による。これらの活動のための意思決定の基礎資料として、また行政運営の効率性・効果性を高めるための基礎資料として財務情報は必須である。

そこで新地方公会計基準の内容を分かりやすくかつ網羅的に実務的に第一部では解説している。第一部の構成は、地方公会計の整備に向けて、固定資産台帳の作成方法、貸借対照表・行政コスト計算書・純資産変動計算書・資金収支計算書・連結財務書類の作成と審議活用、行政運営のマクロ的観点・ミクロ的観点（セグメント分析）、行政外部・地方公営企業・公監査での審議活用の要点を例示とともに解説している。

行政活動が住民にとって透明性のある、また住民の満足度を高めるものとなるためには、行政活動の方向を決定する立法府の議員による審議が不可欠である。しかし、議員諸氏は出身母体や専門性によって必ずしも財務・会計情報を見慣れているわけではないのであり、そこで第二部では、公会計情報に関する議会審議での活用の観点を具体例をもとに解説している。

第二部の構成は、議会活動と財務情報、財務書類の作成目的、資産老朽化対策と更新計画、行政コストの読み方、夕張市の事例、行政・市民とのコミュニケーション、財政健全化・業務効率化、公営企業の法適化と経営戦略、予算管理と海外事例、公共施設のコスト情報、地方公会計の監査とこれらの観点にかかわる議会審議の活用事例を解説している。

第三部では、第一部、第二部で解説してきた審議活用の観点を、行政マネジメントプロセスを監視するために、新地方公会計をどのように活用して行政課題の改善に向けた論点（課題）を整理し議会での審議を進めていくかの留意点・視点を、具体的な質疑例を掲載して議会で審議の際に活用しやすいように示してあり、構成は、新地方公会計活用に当たってのポイントと課題、地方議会人の行政監視の質疑の留意点、新地方公会計のあり方や考え方が首長側に浸透しているかを問う「一歩進んだ想定質疑」を提示している。

以上のように本書は、議会での質疑の活性化を、新地方公会計情報の活用を目指して書かれたもので、中央文化社の「月刊　地方議会人」に連載（2019年5月号～2021年4月号）した原稿を加筆修正したものである。特に市町村の議会人の方々や首長、自治体の財政課・会計課・各行政業務部局、行政評価や行政戦略の政策企画立案の担当部署、監査委員及び事務局、財務書類の作成や活用を支援する公認会計士・税理士・コンサルタント、公会計・公監査・地方自治の研究者や学生・院生、金融機関や指定代理の関係企業等のステークホルダーの方々の理解と活用に資することができれば編著者一同の望外の喜びである。

本書の執筆は、一般社団法人青山公会計公監査研究機構の主任研究員である山本、平、林、石井そして鈴木による。なお、著者等の解釈に誤りがあれば今後正していく所存である。また本書の成るのは中央文化社をあげての支援によるものであり，ここに感謝の意を表する。

令和3年11月

一般社団法人青山公会計公監査研究機構
鈴木　豊

第一部

議会審議にあたって、知っておくべき「新地方公会計」整備の経緯と基本的特徴

第1章　新地方公会計統一基準による地方公会計整備

1　新地方公会計統一基準設定の基本的な考え方は、次のとおりです。

① 地方財政の状況が厳しさを増す中で財政の透明性、説明責任（対住民・議会等）の重要性が高まったこと。

② 平成18年度「新地方公会計制度研究会」が設置され、新地方公会計モデルとして基準モデルと総務省方式改訂モデル等を示してその整備を要請されたが、統一基準という性格ではなかったこと。

③ 公会計の整備にあたっての標準的な考え、方法を示す基準を設定したこと。

④ 固定資産台帳の整備と複式簿記導入が必要不可欠であることが提示されたこと。ここでは、既存の財務書類との継続性等、実務面での実施可能性、財務書類のわかりやすさ等の基本方針が検討されました。

⑤「今後の新地方公会計の推進に関する実務研究会」から統一基準として、最終報告書が左記のように平成27年1月23日に総務省より公表されました。

イ　地方公会計マニュアル

ロ　財務書類作成要領

ハ　資産評価及び固定資産台帳整備の手引き

ニ　連結財務書類作成の手引き

ホ　財務書類等活用の手引き

ヘ　Q＆A集

2　新地方公会計統一基準による地方公会計整備の意義は、次のとおりです。

①　発生主義（取引が発生した時点で計上）によりストック・フロー情報を総体的、一覧的に把握すること。

②　現金主義（現金受け渡しの時点で計上）会計による予算・決算制度を補完する機能とすること。

③　住民や議会等に対し、財務情報をわかりやすく開示することによって説明責任の履行を果たすこと。

④　資産・債務管理や予算編成、行政評価等に有効に活用でき、マネジメント強化、財政の効率化・適正化に有効となること。

⑤　地方公共団体全体、すなわち連結会計としての財務情報のわかりやすい開示を行うこと。

3　新統一基準の基礎概念は、次のとおりです（【図表1－1－1】参照）。

⑴　報告主体

報告主体は、都道府県、市町村（特別区を含む）、一部事務組合及び広域連合です。

①　一般会計及び地方公営事業会計以外の特別会計からなる一般会計等を基礎として、財務書類を作成します。

②　一般会計等に地方公営事業会計を加えた全体財務書類を作成します。

【図表 1-1-1】財務書類の対象となる会計

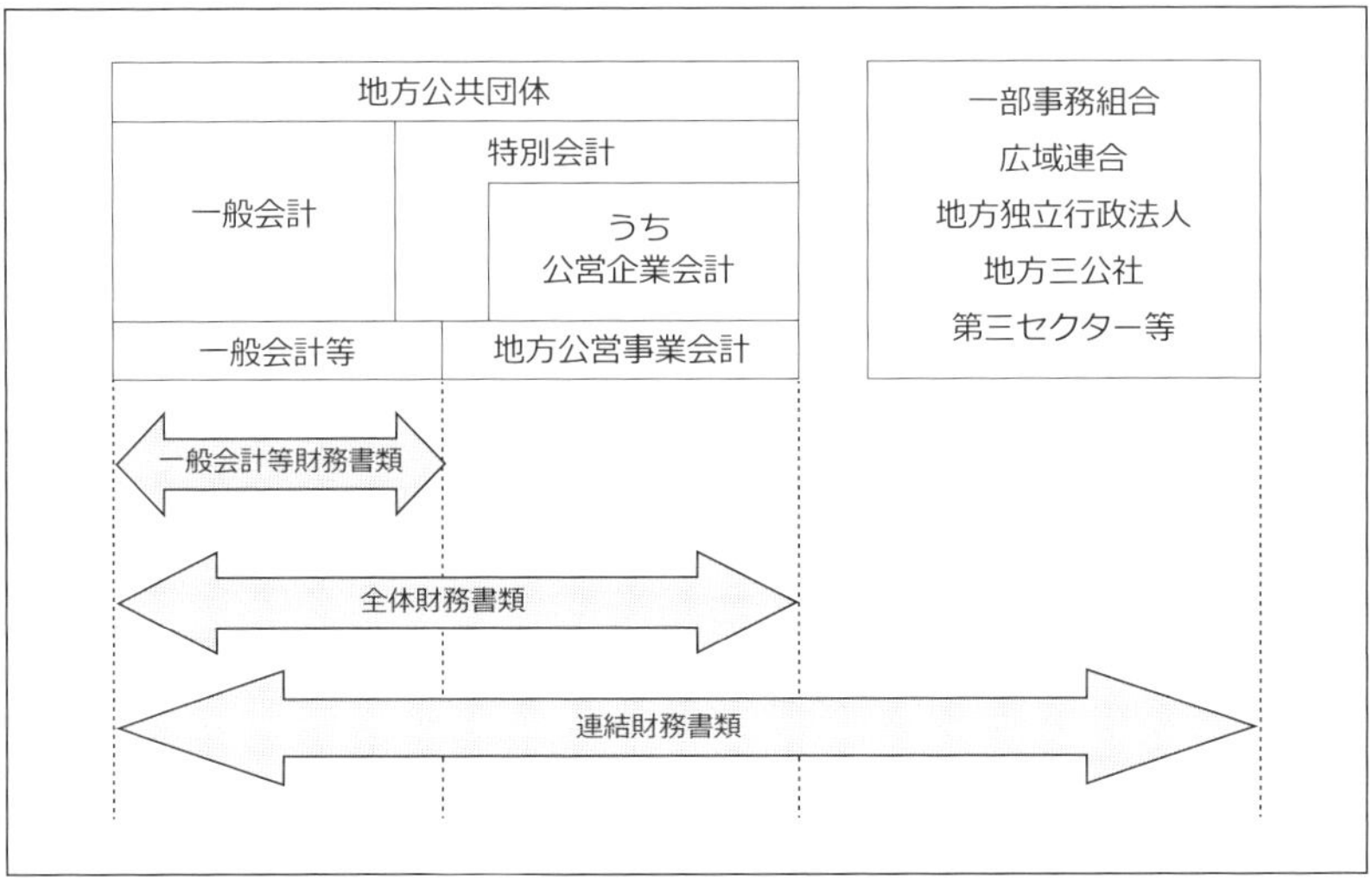

③　②に地方公共団体の関連団体を加えた連結財務書類を作成します。

(2) 情報利用者及びそのニーズ

① 住民↓居住自治体の現況把握

イ 将来世代と現世代との負担の分担は適切か

ロ 行政サービスは効率的に提供されているか

ハ （投票に関する）政治的意思決定

② 地方債等への投資者↓財政の持続可能性

③ 地方公共団体の内部者（首長、議会、補助機関等）
↓予算編成過程における具体的な政策決定の資料

④ その他外部の利害関係者（取引先、国、格付機関等）

(3) 財務書類の作成目的

① 情報利用者に対し、意思決定に有用な情報をわかりやすく開示することによる説明責任の履行を果たすこと。

② 資産・債務管理や予算編成、行政評価等に有効に活用し、マネジメント強化、特に財政の効率化・適正化を果たすこと。そのために具体的には、地方公

共団体における左記の情報を提供すること。

イ 財政状態
ロ 発生主義による一会計期間における費用・収益
ハ 純資産の変動
ニ 資金収支の状態

4 財務書類の構成要素

① 資産↓将来の経済的便益が当該会計主体（地方公共団体）に流入すると期待される資源、または潜在的なサービス提供能力を伴うもの
② 負債↓特定の会計主体の現在の義務であって、経済的便益を伴う資源が当該会計主体から流出し、または潜在的なサービス提供能力の低下を招くことが予想されるもの
③ 純資産↓正味の資産をいい、租税等の拠出及び獲得された余剰（又は損失）の蓄積残高
④ 費用↓一会計期間中に費消された、資産の流出・減損、負債の発生の形による経済的便益又はサービス提供能力の減少
⑤ 収益↓一会計期間中に成果として資産の流入もしくは増加、負債の減少の形による経済的便益又はサービス提供能力の増加
⑥ その他の純資産減少原因↓費用に該当しない純資産（またはその内部構成）の減少原因をいう。

⑦　財源及びその他の純資産増加原因→会計期間中における資産の流入もしくは増加、又は負債の減少の形による経済的便益又はサービス提供能力の増加をもたらすものであって、収益に該当しない純資産（又はその内部構成）の増加原因をいう。

5　財務書類の体系

測定、開示すべき財務実績は、①一会計期間の経常的な費用がどの程度あり、②それが税収等の財源によってどのように賄《まかな》われ、③固定資産の増減等を含め、将来に引き継ぐ純資産がどのように変動したかです。

財務書類の体系については、①貸借対照表（B／S）、②資金収支計算書（P／L）、③行政コスト計算書、④純資産変動計算書の４表形式をとり、さらに⑤附属明細書が付加されています。

但し、行政コスト計算書及び純資産変動計算書については、別々の計算書としても、その二つを結合した計算書としても差し支えないものとされ、**【図表1－1－2】**のように、主として４表形式であるが、３表形式も許容することとされています。

6　財務書類の作成

財務書類の体系の４表の関係は、**【図表1－1－3】**のとおりです。

作成基準日は会計年度末（３月31日）です。それ故、出納《すいとう》整理期間中の現金の受払い等の終了した後の計数とされ、出納整理期間中の取引は従来どおり含まれます。表示単位は、１００万円を原則とし、

【図表 1-1-2】財務書類の体系（4 表形式）

（単位：百万円）

【貸借対照表】

科目	金額	科目	金額
固定資産	25,177	固定負債	5,197
有形固定資産	23,134	地方債	4,332
事業用資産	7,561	その他	865
土地	1,924	流動負債	670
建物等	11,274	1年内償還予定地方債等	670
減価償却累計額	△ 5,637	負債合計	5,867
インフラ資産	15,573		
土地	2,781	固定資産等形成分	25,185
建物等	25,584	余剰分（不足分）	△ 5,509
減価償却累計額	△ 12,792		
投資その他の資産	2,043		
基金等	2,043		
流動資産	366		
現金預金	152		
その他	214	純資産合計	19,676
資産合計	25,543	負債及び純資産合計	25,543

【行政コスト計算書】

科目	金額
1.経常費用	3,996
業務費用	2,757
人件費	965
減価償却費	897
その他	895
移転費用	1,239
2.経常収益	175
使用料及び手数料等	175
3.純経常行政コスト（1−2）	3,821
4.臨時損失	−
資産除売却損等	−
5.臨時利益	−
資産売却益等	−
6.純行政コスト（3+4−5）	3,821

【資金収支計算書】

科目	金額
【業務活動収支】	
支出合計	3,038
収入合計	4,442
業務活動収支①	1,404
【投資活動収支】	
支出合計	1,221
収入合計	156
投資活動収支②	△ 1,065
【財務活動収支】	
支出合計	928
収入合計	607
財務活動収支③	△ 321
本年度資金収支額④（①＋②＋③）	18
前年度末資金残高⑤	134
本年度末資金残高⑥（④＋⑤）	152

【純資産変動計算書】

科目	合計	固定資産等形成分	余剰分（不足分）
1.前年度末純資産残高	19,253	24,964	△ 5,711
2.純行政コスト（△）	△ 3,821		△ 3,821
3.財源	4,244		4,244
税収等	3,465		3,465
国県等補助金	779		779
4.本年度差額（2+3）	423		423
5.固定資産等の変動（内部変動）		221	△ 221
有形固定資産等の増加		756	△ 756
有形固定資産等の減少		△ 897	897
貸付金・基金等の増加		519	△ 519
貸付金・基金等の減少		△ 157	157
6.資産評価差額	−	−	
7.無償所管換等	−	−	
8.その他	−	−	−
9.本年度純資産変動額（4〜8の合計）	423	221	202
10.本年度末純資産残高（1+9）	19,676	25,185	△ 5,509

【図表 1-1-3】財務書類 4 表構成の相互関係

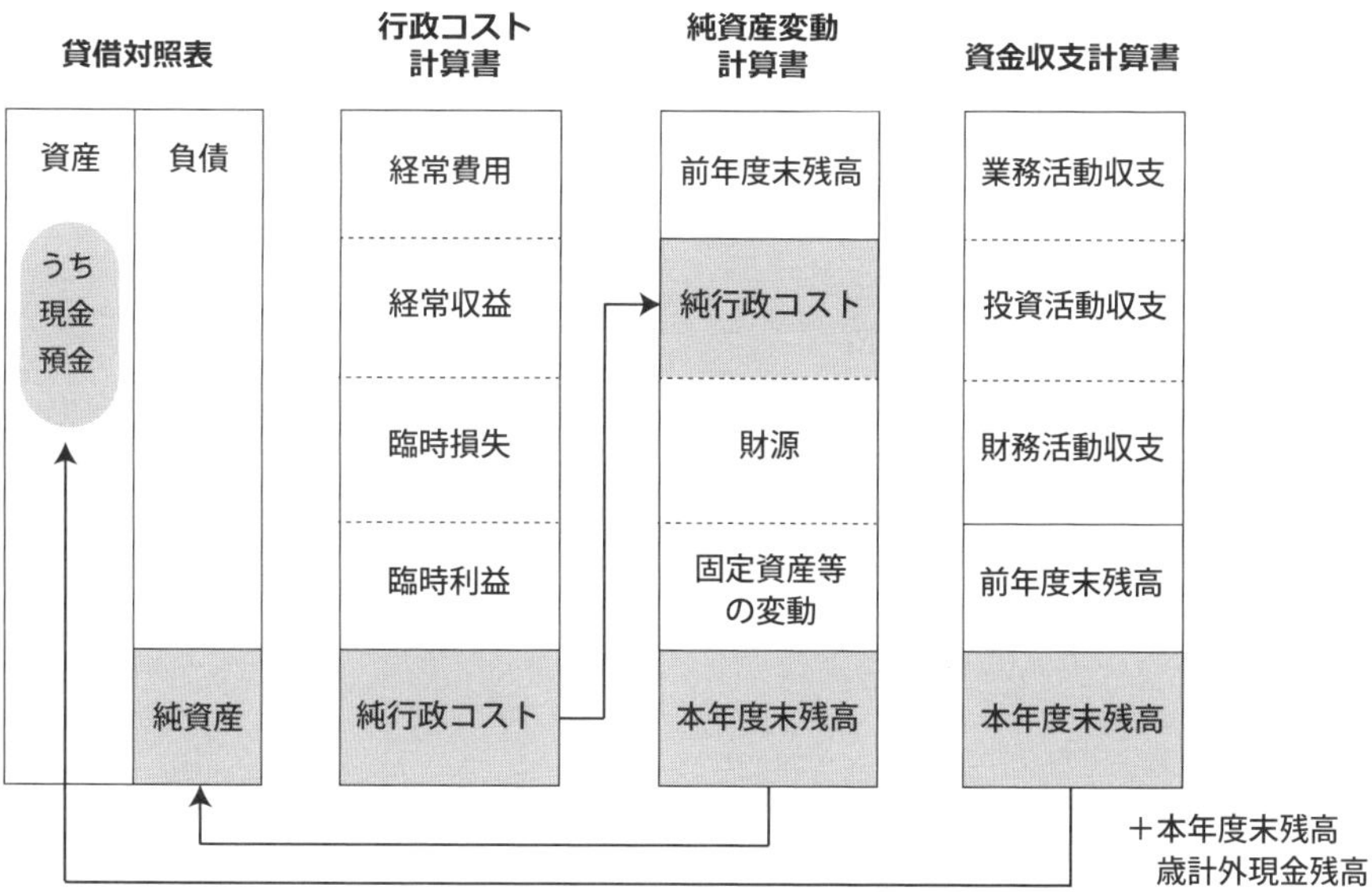

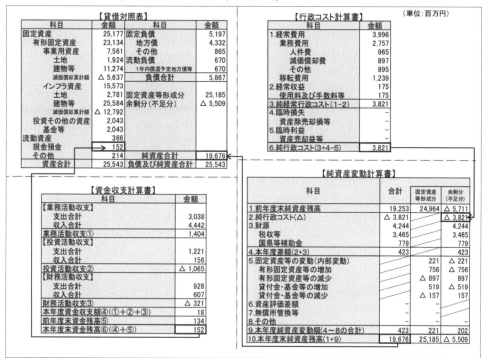

1000円単位とすることもできます。

第2章　固定資産台帳の作成と活用

1　固定資産台帳の整備目的

固定資産台帳には、すべての保有資産を網羅します。これには品目ごとに取得価額、償却額計算に必要な要素、償却額、同累計、償却後帳簿残高、廃棄、売却に関する記録などを記入します。自団体の資産の状況を正しく把握し、他団体との比較可能性を確保するには、正確な固定資産に係る情報が不可欠であり、固定資産台帳の整備が必要ということです。

2　台帳の記載項目

記載項目は、必要最小限の項目とすることを基本としています。資産の一単位ごとに、勘定科目、名称、取得年月日、取得価額等、耐用年数、減価償却累計額、帳簿価額、数量等の情報を記載します。記載項目には、基本項目と固定資産台帳を公共施設マネジメント等に活用するための追加項目があり、各地方公共団体の判断により、記載する項目を追加できます。

3　減価償却計算

償却資産については、毎会計年度減価償却を行います。減価償却は、種類の区分ごとに定額法によっ

【図表 1-2-1】有形固定資産の評価基準

〔　〕内は取得原価が不明な場合

	開始時		開始後	再評価
	昭和59年度以前取得分	昭和60年度以後取得分		
非償却資産 ※棚卸資産を除く	再調達原価	取得原価 〔再調達原価〕	取得原価	立木竹のみ６年に１回程度
道路、河川及び水路の敷地	備忘価額１円	取得原価 〔備忘価額１円〕	取得原価	―
償却資産 ※棚卸資産を除く	再調達原価	取得原価 〔再調達価額〕	取得原価	―
棚卸資産	低価法	低価法	低価法	原則として毎年度

て行います。開始時の道路、河川及び水路に係る減価償却は、簡便的な減価償却の方法として、道路等の類似した一群の資産を一体として総合償却するような償却方法も許容します。

4　評価基準と評価方法

(1) 有形固定資産の評価基準・評価方法

事業用資産とインフラ資産の開始時簿価は、取得原価が判明しているものは、原則として取得原価、取得原価が不明なものは、原則として再調達原価とします。ただし、道路、河川及び水路の敷地のうち、取得原価が不明なものについては、原則として備忘価額1円とします。また、開始後については、原則として取得原価とし、再評価は行いません（立木竹《りゅうぼくちく》のみ6年に1回再評価）。

なお、安易に取得原価が不明だと判断することのないよう留意する必要があります。それでも取得原価が判明しない資産については、取得原価の把握のため、地方財政状況調査（決算統計）の数値を用いることも考えられます。また、取得原価の判明状況の影響等を踏まえ、実施可能性や比較可能性を確保する観点から、特定の時期（昭和59年度以前）に取得したものは、上記の取り扱いにかかわらず、原則として取得原価不明なものとして取り扱います。
有形固定資産の評価基準は【図表1-2-1】のとおりです。

(2)売却可能資産

売却可能資産については、資産科目別の金額、その範囲や評価方法を注記します。売却可能資産は、次の①、②のいずれかに該当する資産のうち、地方公共団体が特定した資産をいいます。

① 現に公用もしくは公共用に供されていない公有財産（一時的に賃貸している場合を含む）

② 売却が既に決定している、または、近い将来売却が予定されていると判断される資産

売却可能価額は、①鑑定評価額、②路線価や公示地価に基づく評価など、各地方公共団体及び売却可能資産の実情に応じて最も合理的な方法を用います。

5 整備後の管理手順

固定資産台帳の整備後（資産の取得・異動）の管理手順は、①資産の棚卸（現物確認）、②登録データの作成、③公有財産台帳登録、④執行データとの照合、寄附・寄贈の調査等、⑤固定資産台帳登録、⑥固定資産台帳に反映、といったプロセスにより行われます。

「日々仕訳」の場合は、仕訳の発生の都度、固定資産台帳に登録します。「期末一括仕訳」の場合は、日々の執行データを既存の財務会計システム等に蓄積し、期末に一括仕訳を行った（つまり1年間のデータを年度末に一括変換する）後に固定資産台帳に登録します。ただし、年度末の状況把握（固定資産台帳と貸借対照表の資産残高の一致確認）が必須です。

6 固定資産台帳の審議活用

(1)資産の老朽化比率（有形固定資産減価償却率）からの審議

① 資産老朽化比率の公共施設等マネジメントへの活用

② 背景・目的

地方公共団体全体の老朽化比率だけでなく、施設類型別の老朽化比率を把握することで、公共施設等のマネジメントに活用します。

③ 事例概要

有形固定資産のうち、償却資産の取得価額に対する減価償却累計額の割合を計算することにより、耐用年数に対して資産の取得からどの程度経過しているのかを全体として把握することができる。ある事例では、市全体の資産老朽化比率は43・３％であるが、小学校は38・１％、市立保育園は52・４％となっており、市立保育園の老朽化比率が高くなっている。

(2)適切な資産管理（将来の施設更新必要額の推計）の審議活用

① 将来の施設更新必要額の推計

個別の設備資産ごとに経過耐用年数と将来更新する設備の計画を予想して必要額を見積もることができます。

② 背景・目的

国・地方公共団体共通の課題として、インフラを含む公共施設等の老朽化対策があります。当該課題を数値として把握するために、将来の施設更新必要額のシミュレーションをしなければなりません。

③　事例概要
財務書類を作成するために整備した固定資産台帳のデータを活用し、次のア・イを前提条件として、将来の施設更新必要額を推計しました。
ア　全ての施設を再調達価額で更新する。
イ　耐用年数終了時に施設の更新を行う。
時期によって施設更新必要額にバラツキがあり、また、全体として施設更新に相当なコストが必要なことが判明しました。施設の更新時期の平準化や総量抑制等を図るため、適切な更新・統廃合・長寿命化の実施が必要であることがわかります。

第3章　貸借対照表（B/S）の作成と活用

1　意　義
貸借対照表は、地方公共団体の財政状態（資産・負債・純資産の残高及び内訳）を測定し財務結果を表示します。このうち、有形固定資産においては、行政目的別の分類に係る附属明細書が作成されます。

2　資産の測定と評価
資産の貸借対照表価額の測定は、それぞれの資産の性質及び所有目的に応じた評価基準及び評価方法によります。

【図表 1-3-1】有形固定資産の評価基準について

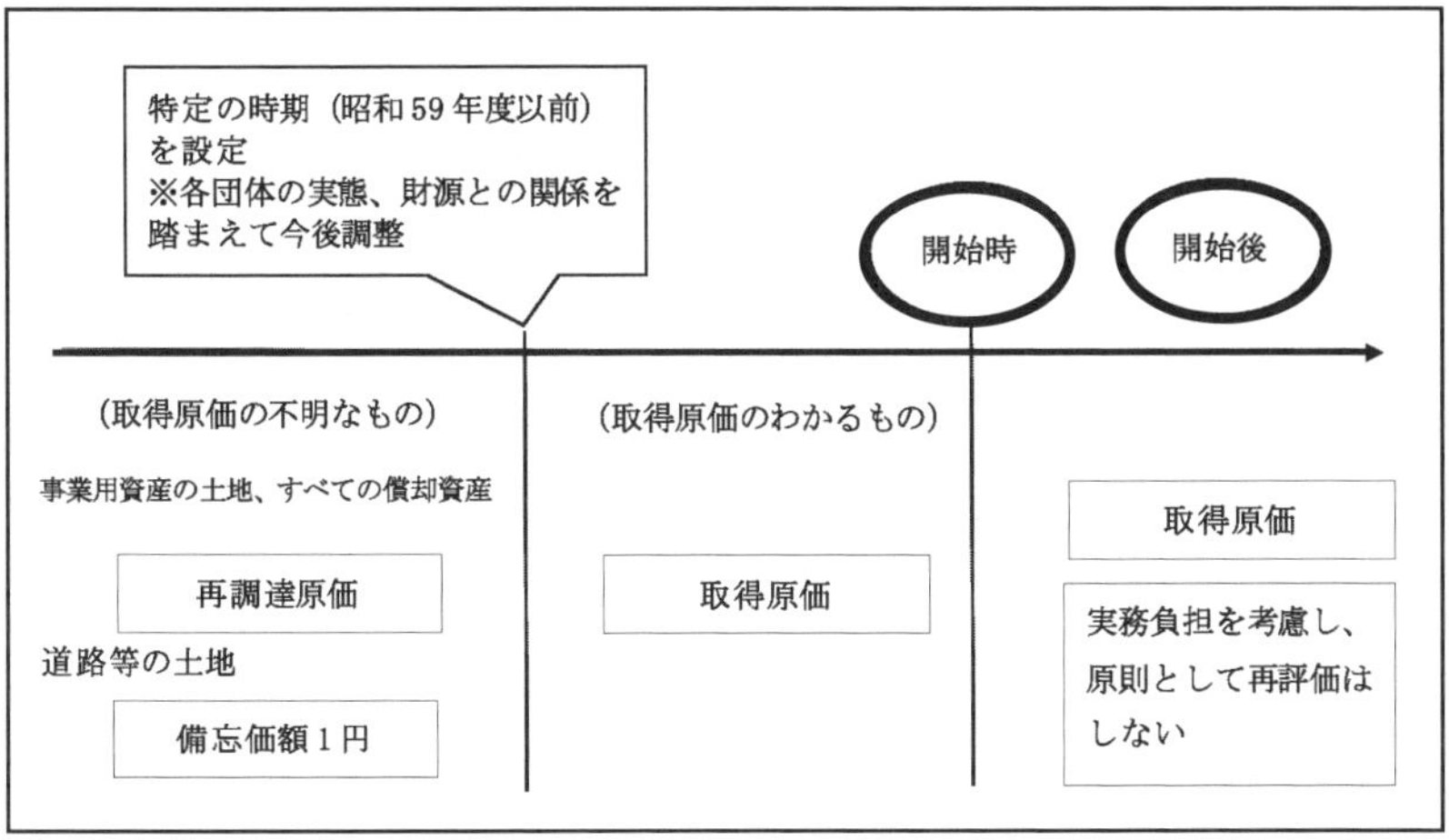

３　有形固定資産の評価基準

地方公共団体が保有する資産で一番割合の大きい有形固定資産の評価基準は、【図表１−３−１】のとおりです。取得原価すなわち購入・建設原価が原則的評価であり、特定の時期（昭和59年度以前）取得分は取得原価不明なものとして取り扱うことになっています。

４　固定資産の会計処理

固定資産は、「有形固定資産」、「無形固定資産」及び「投資その他の資産」に分類します。

リース資産は、ファイナンス・リース取引については、通常の売買取引に係る方法（固定資産に該当するものは貸借対照表に計上）に準じて会計処理を行い、オペレーティング・リース取引については、通常の賃貸借取引に係る方法（費用として行政コスト計算書に計上）に準じて会計処理を行います。民間資金を活用するＰＦＩ等の手法は、原則として所有権移転ファイナンス・リース資産と同様に会計処理を行います。

売却可能資産は、資産科目別の金額・その範囲を注記します。売却可能資産とは、①現に公用もしくは公共用に供されていない公有財産、②売却が既に決定している、または、近い将来売却が予定されていると判断される資産であり、具体的な取扱いは、要領等で規定します。売却可能資産は、基準日時点の売却可能価額を注記します。

償却資産は、毎会計年度、一定の額で減価償却を行います（定額《ていがく》法）。減価償却額は、「減価償却資産の耐用年数等に関する省令」に従うこととしますが、具体的な取扱いは要領等で規定します。減価償却累計額は、当該各有形固定資産の項目に対する控除項目とします。耐用年数を経過後に存する資産は、備忘価額1円（残存価額なし）を計上します。

①　有形固定資産

有形固定資産は、「事業用資産」、「インフラ資産」及び「物品」に分類表示します。

資産の取得価額は、取得にかかる直接的な対価のほか、原則として当該資産の引取費用等の付随費用を含めて算定します。

償却資産に対する修繕費等は、資産価値・耐久性が増すかを判断し、資産計上を検討します。

事業用資産の開始貸借対照表の価額の測定は、取得原価が判明しているものは、原則として取得原価とし、取得原価が不明なものは、原則として再調達原価とします。

取得原価の判明／不明の判断については、特定の時期（昭和59年度）が設定され、それ以前のものを、原則として取得原価不明なものとして取り扱います。

インフラ資産は、例えば道路ネットワーク、下水処理システム、水道等が該当します。インフラ資産は、「土地」、「建物」、「工作物」、「その他」及び「建設仮勘定」の科目を用います。また、減価償却の方法を注記します。インフラ資産の開始貸借対照表の価額の測定は、取得原価が判明しているものは、原則として取得原価とし、取得原価が不明なものは、原則として再調達原価とします。

道路等の土地のうち、取得原価が不明なものは、原則として備忘価額１円とします（開始後は、原則として取得原価とし、再評価はしません）。

物品は、原則として取得価額または見積価格が50万円（美術品は３００万円）以上の場合に資産として計上します。

② 無形固定資産

無形固定資産は、「ソフトウェア」及び「その他」の表示科目とします。

③ 投資その他の資産

イ 投資及び出資金

・有価証券（満期保有目的有価証券及び満期保有目的以外の有価証券：評価基準・評価方法を注記）

・出資金（公有財産として管理の出資等、出損金含む）等

ロ 投資損失引当金

ハ 長期延滞債権：滞納繰越調定収入未済の収益及び財源（債権の内訳に係る附属明細書を作成）

ニ 長期貸付金：地方自治法２４０条１項規定の債権である貸付金

ホ 基 金

・減債基金（積立不足の有無及び不足額を注記）

・その他

繰替《くりかえ》運用（資金不足により基金を歳計現金に一時的に繰り替えて使用すること）は、基金残高と借入金残高を相殺《そうさい》します。また、基金の評価基準は、基金を構成する資産の種類に応じ適用します（基金の内訳に係る附属明細書を作成）。

ヘ　その他

ト　徴収不能引当金

5　流動資産の会計処理

流動資産は左記のとおり分類・処理します。

①　現金預金：現金（手許現金及び要求払預金）及び現金同等物（3か月以内の短期投資等）で構成

②　未収金：現年度に調定し、現年度収入未済の収益及び財源（未収金の内訳に係る附属明細書を作成）

③　短期貸付金：貸付金のうち翌年度に償還期限が到来するもの

④　基金：財政調整基金及び減債基金のうち流動資産に区分されるもの（「財政調整基金」及び「減債基金」の表示科目）

⑤　棚卸資産：会計年度末の帳簿価額と正味実現可能価額のいずれか低い額で測定（低価法）

⑥　その他：上記及び徴収不能引当金以外の流動資産

⑦　徴収不能引当金は：債権全体または同種・同類の債権ごとに、過去の徴収不能実績率など合理的な基準により算定

6　負債の会計処理

自団体が今後負担する、あるいは次世代へ負荷する負債の分類表示は、「固定負債」及び「流動負債」とします。

固定負債は左記のとおり分類・処理します。

①　地方債：償還予定が1年超のもの
②　長期未払金：債務負担行為で確定債務と見なされるもの及びその他の確定債務（流動負債以外）
③　退職手当引当金：既に行われている労働提供部分（引当金の計上基準及び算定方法を注記）
④　損失補償等引当金（損失補償契約に基づき履行すべき額が確定したものは負債（未払金等）計上）
⑤　その他

流動負債は左記のとおり分類・処理します。

①　1年内償還予定地方債
②　未払金
③　未払費用
④　前受金
⑤　前受収益
⑥　賞与等引当金（計上基準及び算定方法を注記）
⑦　預り金：第三者から寄託された資産に係る見返負債
⑧　その他

7　純資産の表示

自団体の資産マイナス（－）負債、正味の財産である純資産は、純資産の源泉（ないし運用先）との対応により、左記のとおり区分表示します。

① 固定資産等形成分

資産形成のために充当した資源が蓄積されたもので、原則として金銭以外の形態（減価償却累計額控除後の固定資産等）で保有しているもの。

② 余剰分（不足分）

費消可能な資源の蓄積、原則として金銭の形態で保有しているもの。

8　貸借対照表の様式

貸借対照表の様式は、【図表1－3－2】のとおりです。

9　貸借対照表において分析指標等を活用した事例

(1) 各種財政指標による類似団体比較のケース

① 背景・目的

発生主義・複式簿記に基づく財務書類の作成によって把握可能となる各種財政指標を住民に示す必要があります。当該団体の各種財政指標を類似団体の各種財政指標と併せて示すことで、住民にとってわかりやすい情報開示を行います。

【図表 1-3-2】貸借対照表

【様式第１号】

貸借対照表
（令和　　年　　月　　日現在）

（単位：百万円）

科目	金額	科目	金額
【資産の部】		【負債の部】	
固定資産		固定負債	
有形固定資産		地方債	
事業用資産		長期未払金	
土地		退職手当引当金	
立木竹		損失補償等引当金	
建物		その他	
建物減価償却累計額		流動負債	
工作物		１年内償還予定地方債	
工作物減価償却累計額		未払金	
船舶		未払費用	
船舶減価償却累計額		前受金	
浮標等		前受収益	
浮標等減価償却累計額		賞与等引当金	
航空機		預り金	
航空機減価償却累計額		その他	
その他		負債合計	
その他減価償却累計額		【純資産の部】	
建設仮勘定		固定資産等形成分	
インフラ資産		余剰分（不足分）	
土地			
建物			
建物減価償却累計額			
工作物			
工作物減価償却累計額			
その他			
その他減価償却累計額			
建設仮勘定			
物品			
物品減価償却累計額			
無形固定資産			
ソフトウェア			
その他			
投資その他の資産			
投資及び出資金			
有価証券			
出資金			
その他			
投資損失引当金			
長期延滞債権			
長期貸付金			
基金			
減債基金			
その他			
その他			
徴収不能引当金			
流動資産			
現金預金			
未収金			
短期貸付金			
基金			
財政調整基金			
減債基金			
棚卸資産			
その他			
徴収不能引当金		純資産合計	
資産合計		負債及び純資産合計	

② 事例概要

市民一人当たり資産額、歳入額対資産比率等の各種財政指標について、他の政令指定都市（基準モデル）の各種財政指標と比較して表示しました。

H市の財政指標（例）

・市民一人当たり資産額（245万9000円）↓他の4市の平均値と概《おおむ》ね同じレベルです。

・歳入額対資産比率（6・8年）↓他の4市の平均値と比べて高くなっており、その分、資産の維持管理コストが必要になります。

・市民一人当たり負債額（41万5000円）↓他の4市の平均値と比べて低くなっています。

【結論】各種財政指標は概ね問題ないレベルですが、「歳入額対資産比率」が他の4市を上回っていることから、今後、資産の過半を占めるインフラ資産のあり方等を検討する必要があります。

(2) 未収債権の徴収体制の強化のケース

① 背　景

未収債権の種類毎に担当課が分かれる中で、全庁統一的な基準による徴収手続きが実施されていませんでした。

② 事例概要

貸借対照表作成によって、市全体の債権額が改めて明らかとなりました。このことにより、未収債権の徴収体制の強化の必要性が認識され、徴収に向けた組織体制の強化が行われました。

第４章　行政コスト計算書の作成と活用

１　意　義

行政コスト計算書は、会計期間中の地方公共団体の費用・収益の取引高を明らかにすることを目的として作成します。あわせて行政目的別の行政コスト計算書を附属明細書等で作成することが望ましいとされています。

費用及び収益は、総額によって表示することを原則とします。

行政コスト計算書の区分表示は、「経常費用」、「経常収益」、「臨時損失」及び「臨時利益」とします。

純行政コスト（行政コスト計算書の収支尻）は、純資産変動計算書に振替えられます（連動する）。

２　経常費用

「経常費用」は、「業務費用」及び「移転費用」に分類表示します。

「業務費用」は、左記のとおりです。

①　人件費：職員給与費、賞与等引当金繰入額、退職手当引当金繰入額、その他

②　物件費等：物件費（消費的性質の経費）、維持補修費、減価償却費、その他

※物件費は、職員旅費、委託料、消耗品や備品購入費といった消費的性質の経費であって、資産計上されないものをいう。

※維持補修費は、資産の機能維持のために必要な修繕費等をいう。
※減価償却費は、一定の耐用年数に基づき計算された当該会計期間中の負担となる資産価値減少金額をいう。

③　その他の業務費用：支払利息、徴収不能引当金繰入額、その他

※支払利息は、地方公共団体が発行している地方債等に係る利息負担金額をいう。
※徴収不能引当金繰入額は、徴収不能引当金の当該会計年度発生額をいう。

「移転費用」は、下記のとおりです。

①　補助金等：政策目的による補助金等

※補助金等の明細については、附属明細書で、区分・名称・相手先・金額・支出目的が開示されます。区分は所有外資産分とその他に分けられ、名称は○○助成や○○分担金等と記載し、支出目的については、○○会計の健全運営や○○に係る法定負担金等と記載します。
※所有外資産とは、他団体及び民間への補助金等により整備された資産で、他団体への公共施設等整備補助金等は、資産形成にあたった分を記載します。

②　社会保障給付：社会保障給付としての扶助費等
③　他会計への繰出金：地方公営事業会計に対する繰出金
④　その他

３　経常収益

「経常収益」は、下記のとおりです。

経常収益：収益の定義に該当するもののうち、毎会計年度、経常的に発生するもの

①　使用料及び手数料：一定の財・サービスを提供する場合に、当該財・サービスの対価として使用料・手数料の形態で徴収する金銭

②　その他

４　臨時損失と臨時利益

「臨時損失」と「臨時利益」は、下記のとおりです。

①　臨時損失：費用の定義に該当するもののうち、臨時に発生するもの。災害復旧事業費、資産除売却損、投資損失引当金繰入額、損失補償等引当金繰入額、その他

②　臨時利益：収益の定義に該当するもののうち、臨時に発生するもの。資産売却益、その他

５　行政コスト計算書の様式

「行政コスト計算書」の様式は次のとおりです。なお、行政コスト計算書には、単独のもの（４表形式）**【図表１−４−１】**と純資産変動計算書を結合したもの（３表形式）**【図表１−４−２】**があります。

【図表 1-4-1】行政コスト計算書（4 表形式）

自　平成　　年　　月　　日
至　平成　　年　　月　　日

（単位：　　）

科目	金額
経常費用	
業務費用	
人件費	
職員給与費	
賞与等引当金繰入額	
退職手当引当金繰入額	
その他	
物件費等	
物件費	
維持補修費	
減価償却費	
その他	
その他の業務費用	
支払利息	
徴収不能引当金繰入額	
その他	
移転費用	
補助金等	
社会保障給付	
他会計への繰出金	
その他	
経常収益	
使用料及び手数料	
その他	
純経常行政コスト　①	
臨時損失	
災害復旧事業費	
資産除売却損	
投資損失引当金繰入額	
損失補償等引当金繰入額	
その他	
臨時利益	
資産売却益	
その他	
純行政コスト　②	

【図表 1-4-2】行政コスト及び純資産変動計算書（3 表形式）

自　平成　　年　　月　　日
至　平成　　年　　月　　日

（単位：　　）

科目	金額	金額	
		固定資産等形成分⑥	余剰分（不足分）⑦
経常費用			
業務費用			
人件費			
職員給与費			
賞与等引当金繰入額			
退職手当引当金繰入額			
その他			
物件費等			
物件費			
維持補修費			
減価償却費			
その他			
その他の業務費用			
支払利息			
徴収不能引当金繰入額			
その他			
移転費用			
補助金等			
社会保障給付			
他会計への繰出金			
その他			
経常収益			
使用料及び手数料			
その他			
純経常行政コスト			
臨時損失			
災害復旧事業費			
資産除売却損			
投資損失引当金繰入額			
損失補償等引当金繰入額			
その他			
臨時利益			
資産売却益			
その他			
純行政コスト　①			
財源			
税収等			
国県等補助金			
本年度差額　②			
固定資産等の変動（内部変動）			
有形固定資産等の増加			
有形固定資産等の減少			
貸付金・基金等の増加			
貸付金・基金等の減少			
資産評価差額			
無償所管換等			
その他			
本年度純資産変動額　③			
前年度末純資産残高　④			
本年度末純資産残高　⑤			

6　行政目的別の行政コスト計算書

行政目的別の情報開示では、各セグメントにどれだけのコストが使われているかを示すことは重要であり、各団体の取組みに応じて行政目的別のものを附属明細書等で表示することが望まれます。

【図表 1-4-3】行政コスト計算書に係る行政目的別の明細（作成例）

（単位：　　）

区分	生活インフラ・国土保全	教育	福祉	環境衛生	産業振興	消防	総務	合計
経常費用								
業務費用								
人件費								
職員給与費								
賞与等引当金繰入額								
退職手当引当金繰入額								
その他								
物件費等								
物件費								
維持補修費								
減価償却費								
その他								
その他の業務費用								
支払利息								
徴収不能引当金繰入額								
その他								
移転費用								
補助金等								
社会保障給付								
他会計への繰出金								
その他								
経常収益								
使用料及び手数料								
その他								
純経常行政コスト								
臨時損失								
災害復旧事業費								
資産除売却損								
投資損失引当金繰入額								
損失補償等引当金繰入額								
その他								
臨時利益								
資産売却益								
その他								
純行政コスト								

行政コスト計算書に係る行政目的別の明細の作成例は、【図表１－４－３】のとおりです。

７　行政コスト計算書の活用事例

(1)　セグメント分析による公民館の統廃合（施設の統廃合）

①　背景・目的

市では、行政コスト計算書の他団体比較で物件費等が多いことが判明し、物件費を市全体で平成×年度までに毎年２５００万円削減する目標を設定し、平成△年９月に、これを含む「○○市行政改革大綱」を策定し、市内にある約２２０施設の管理運営等の合理化案を定め、すべての施設の現状や役割・管理運営等を検証し、施設の適正配置や効率的・効果的な管理運営のあり方を検討しました。

②　事例概要

平成○年３月に「施設白書」を策定し、すべての施設についてバランスシートと行政コスト計算書を作成し、施設の現状把握と将来展望、施設群による比較を実施しました。

(2)　セグメント分析による施設使用料の適正化（受益者負担の適正化）

①　背景・目的

平成×年８月、○○市行政改革推進委員会より「使用料等基準に関する意見書」の提言を受け、受益と負担の原則に基づき公正かつ透明性の高い受益者負担制度の運用に資するため、「使用料等設定及び改定基準について（指針）」を策定しました。

② 事例概要

施設別行政コスト計算書の経常費用の金額等を活用して、使用料等算定表に基づきトータルコストを算出し、当該トータルコストに対して施設類型毎の受益者負担率を設定し（１００％、75％、50％、25％、０％の５段階）、これを基にあるべき使用料等を算定しました。

第５章　純資産変動計算書の作成と活用

１　意　義

純資産変動計算書は、純資産の変動、すなわち政策形成上の意思決定またはその他の事象による純資産及び、その内部構成の変動（その他の純資産減少原因・財源及びその他の純資産増加原因の取引高）を示すものです。

純資産は、純資産の定義に該当するものについて、その形態を表す科目によって表示します。純資産は、純資産の源泉（ないし運用先）との対応によって、その内部構成を「固定資産等形成分」及び「余剰分（不足分）」に区分して表示します。固定資産等形成分は、資産形成のために充当した資源の蓄積をいい、原則として金銭以外の形態（固定資産等）で保有されるものです。換言すれば、地方公共団体が調達した資源を充当して資産形成を行った場合、その資産の残高（減価償却累計額の控除後）を意味します。余剰分（不足分）は、地方公共団体の費消可能な資源の蓄積をいい、原則として金銭の形態で保有されるものです。

なお、経常的事業及び投資的事業の内訳については、附属明細書を作成します。また、分類表示は、①純行政コスト、②財源、③固定資産等の変動（内部変動）、④資産評価差額、⑤無償所管換等、⑥その他となります。

２　純行政コスト

純行政コストは、行政コスト計算書の収支尻である純行政コストと連動します。また、純資産変動計算書の各表示区分（固定資産等形成分及び余剰分（不足分））の収支尻は、貸借対照表の純資産の部の各表示区分（固定資産等形成分及び余剰分（不足分））と、純資産変動計算書の合計の収支尻は、貸借対照表の純資産合計と連動します。

純資産変動計算書、行政コスト計算書、貸借対照表の関係は次のようになります。

純資産変動計算書：純行政コスト
→　連動　←
行政コスト計算書の収支尻である純行政コスト

純資産変動計算書の各表示区分
（固定資産等形成分及び余剰分（不足分））の収支尻
→ 連動 ←
貸借対照表の純資産の部の各表示区分
（固定資産等形成分及び余剰分（不足分））

3　財　源

財源は、次のように示します。

⑴税収等：地方税、地方交付税及び地方譲与税等
⑵国県等補助金：国庫支出金及び都道府県支出金等

一般会計及び特別会計の金額の合計は、純資産変動計算書における財源の金額と一致します。附属明細書⑵「財源情報の明細」には、純行政コスト、有形固定資産等の増加、貸付金・基金等の増加及びその他における財源の内訳を記載します。この明細の国県等補助金の合計は、純資産変動計算書における国県等補助金と一致しますが、税収等の合計は、純資産変動計算書における税収等とは、地方債の元本償還の計上の有無等により一致しないので注意が必要です。

4 財源情報

財源情報の論点整理の方向性は次のとおりです。

財源情報については、①当該年度の固定資産の形成等にあたってどのような財源を用いて整備したのかといった**フロー情報**及び、②当該地方公共団体における資産（純資産）がどのような財源によって形成されているのかといった**ストック情報**の両者がある。

⇩

①については、当該年度の決算情報等から把握することができるものの、②については情報の把握に係る実務的負担が多大となる。

⇩

こうしたことから、ストックに係る財源内訳の把握と減価償却に係る財源内訳の算定については、有用性と実務負担の軽減から見合わせることとし、フローに係る財源情報を別表**【図表1ー5ー1】【図表1ー5ー2】**参照）のとおり作成することとする。

（出所：平成26年4月総務省資料「今後の地方公会計の推進に関する研究会参考資料」）

5　固定資産等の変動（内部変動）

固定資産等の変動（内部変動）は、「有形固定資産等の増加」、「有形固定資産等の減少」、「貸付金・基金等の増加」及び「貸付金・基金等の減少」に分類して表示します。

有形固定資産等の増加は、有形固定資産及び無形固定資産の形成による保有資産の増加額または有形固定資産及び無形固定資産の形成のために支出（または支出が確定）した金額をいいます。有形固定資産等の減少は、有形固定資産及び無形固定資産の減価償却費相当額及び除売却による減少額または有形固定資産及び無形固定資産の売却収入（元本分）、除却相当額及び自己金融効果を伴う減価償却費相当額をいいます。

貸付金・基金等の増加は、貸付金・基金等の形成による保有資産の増加額または新たな貸付金・基金等のために支出した金額をいいます。貸付金・基金等の減少は、貸付金の償還及び基金の取崩等による減少額または貸付金の償還収入及び基金の取崩収入相当額等をいいます。資産評価差額は、有価証券等の評価差額をいいます。無償所管換等は、無償で譲渡または取得した固定資産の評価額等をいいます。

その他は、上記以外の純資産及びその内部構成の変動をいいます。

6　純資産変動計算書の様式

純資産変動計算書の様式は【図表1－5－1】のとおりです。

7　純資産変動計算書の附属明細書

純資産変動計算書の附属明細書は【図表1－5－2】のとおりです。

【図表 1-5-1】純資産変動計算書

自　平成　年　月　日
至　平成　年　月　日

（単位：　）

科目	合計	固定資産等形成分	余剰分（不足分）
前年度末純資産残高			
純行政コスト（△）			
財源			
税収等			
国県等補助金			
本年度差額			
固定資産等の変動（内部変動）			
有形固定資産等の増加			
有形固定資産等の減少			
貸付金・基金等の増加			
貸付金・基金等の減少			
資産評価差額			
無償所管換等			
その他			
本年度純資産変動額			
本年度末純資産残高			

8　純資産変動計算書の活用事例

【地方債ＩＲ（情報開示）資料としての活用】

①　背景・目的

○○市では地方債計画において、民間等資金の円滑な調達を図るため、市場公募地方債等の発行が推進されています。財政状況を投資家等の市場関係者に正確に理解してもらうことで、市場公募地方債の安定した消化につなげます。

②　事例概要

投資家等の市場関係者に馴染みがあって理解されやすい連結財務書類等を地方債ＩＲ（Investor Relations：情報開示）説明会の資料として活用しました。平成○年度の第×回市場公募地方債発行団体合同ＩＲ説明会では、半数程度の団体が貸借対照表・純資産変動計算書等の財務書類を資料として活用しました。

【図表 1-5-2】純資産変動計算書の内容に関する明細

(1) 財源の明細

（単位：　）

<table>
<tr><th>会計</th><th>区分</th><th colspan="2">財源の内容</th><th>金額</th></tr>
<tr><td rowspan="15">一般会計</td><td rowspan="5">税収等</td><td colspan="2">地方税</td><td></td></tr>
<tr><td colspan="2">地方交付税</td><td></td></tr>
<tr><td colspan="2">地方譲与税</td><td></td></tr>
<tr><td colspan="2">・・・・</td><td></td></tr>
<tr><td colspan="2">小計</td><td></td></tr>
<tr><td rowspan="9">国県等補助金</td><td rowspan="4">資本的補助金</td><td>国庫支出金</td><td></td></tr>
<tr><td>都道府県等支出金</td><td></td></tr>
<tr><td>・・・・</td><td></td></tr>
<tr><td>計</td><td></td></tr>
<tr><td rowspan="4">経常的補助金</td><td>国庫支出金</td><td></td></tr>
<tr><td>都道府県等支出金</td><td></td></tr>
<tr><td>・・・・</td><td></td></tr>
<tr><td>計</td><td></td></tr>
<tr><td colspan="2">小計</td><td></td></tr>
<tr><td colspan="3">合計</td><td></td></tr>
<tr><td>特別会計</td><td></td><td colspan="2"></td><td></td></tr>
<tr><td>・・・・</td><td></td><td colspan="2"></td><td></td></tr>
</table>

（出所:平成 27 年 1 月総務省資料「財務書類作成要領」）

(2) 財源情報の明細［記載例］

減価償却費等

【本年度の支出フローのみの財源情報の表示】　（単位:百万円）

区分	金額	内訳			
		国県等補助金	地方債	税収等	その他
純行政コスト	3,821	355	275	2,294	897
有形固定資産等の増加	756	401	335	20	
貸付金・基金等の増加	519	23		496	
その他					
合計	5,096	779	610	2,810	897

（出所:平成 26 年 4 月総務省資料「今後の地方公会計の推進に関する研究会参考資料」）

第６章　資金収支計算書の作成と活用

１　意　義

資金収支計算書は、団体の内部者（首長、議会、補助機関等）の活動に伴う資金利用状況及び資金獲得能力を明らかにするものです。分類表示は、①業務活動収支、②投資活動収支、③財務活動収支の３区分とします。歳計外現金は、資金収支計算書の資金の範囲には含めません。

欄外注記で、前年度末歳計外現金残高、本年度歳計外現金増減額、本年度末歳計外現金残高、本年度末現金預金残高を示し、内容は以下のとおりです。

資金収支計算書の収支尻＋本年度末歳計外現金残高
（本年度末現金預金残高）

→ 連動 ←

貸借対照表　資産の部　現金預金勘定

2 業務活動収支

① 業務支出

・業務費用支出：人件費支出、物件費等支出、支払利息支出、その他の支出に分類して表示します。

人件費支出は、人件費に係る支出をいう。

物件費等支出は、物件費等に係る支出をいう。

支払利息支出は、地方債等に係る支払利息の支出をいう。

その他の支出は、上記以外の業務費用支出をいう。

・移転費用支出：補助金等支出、社会保障給付支出、他会計への繰出支出、その他の支出に分類して表示します。

補助金等支出は、補助金等に係る支出をいう。

社会保障給付支出は、社会保障給付に係る支出をいう。

他会計への繰出支出は、他会計への繰出に係る支出をいう。

その他の支出は、上記以外の移転費用支出をいう。

② 業務収入

・業務収入は、税収等収入、国県等補助金収入、使用料及び手数料収入、その他の収入に分類して表示します。

税収等収入は、税収等の収入をいう。

国県等補助金収入は、国県等補助金のうち、業務支出の財源に充当した収入をいう。

使用料及び手数料収入は、使用料及び手数料の収入をいう。

その他の収入は、上記以外の業務収入をいう。

③　臨時支出

・臨時支出は、災害復旧事業費支出、その他の支出に分類して表示します。

災害復旧事業費支出は、災害復旧事業費に係る支出をいう。

その他の支出は、上記以外の臨時支出をいう。

④　臨時収入

・臨時収入は、臨時にあった収入をいう。

3　投資活動収支

①　投資活動支出

・投資活動支出は、公共施設等整備費支出、基金積立金支出、投資及び出資金支出、貸付金支出、その他の支出に分類して表示します。

公共施設等整備費支出は、有形固定資産等の形成に係る支出をいう。

基金積立金支出は、基金積立に係る支出をいう。

投資及び出資金支出は、投資及び出資金に係る支出をいう。

貸付金支出は、貸付金に係る支出をいう。

その他の支出は、上記以外の投資活動支出をいう。

② 投資活動収入

・投資活動収入は、国県等補助金収入、基金取崩収入、貸付金元金回収収入、資産売却収入、その他の収入に分類して表示します。

国県等補助金収入は、国県等補助金のうち、投資活動支出の財源に充当した収入をいう。

基金取崩収入は、基金取崩による収入をいう。

貸付金元金回収収入は、貸付金に係る元金回収収入をいう。

資産売却収入は、資産売却による収入をいう。

その他の収入は、上記以外の投資活動収入をいう。

4 財務活動収支

① 財務活動支出

・財務活動支出は、地方債償還支出、その他の支出に分類して表示します。

地方債償還支出は、地方債に係る元本償還の支出をいう。

その他の支出は、上記以外の財務活動支出をいう。

② 財務活動収入

・財務活動収入は、地方債発行収入、その他の収入に分類して表示します。

地方債発行収入は、地方債発行による収入をいう。

その他の収入は、上記以外の財務活動収入をいう。

5　資金収支計算書の様式

資金収支計算書の様式は【図表1−6−1】のとおりです。

【図表 1-6-1】資金収支計算書

自　平成　年　月　日
至　平成　年　月　日

（単位：　）

科目	金額
【業務活動収支】	
業務支出	
業務費用支出	
人件費支出	
物件費等支出	
支払利息支出	
その他の支出	
移転費用支出	
補助金等支出	
社会保障給付支出	
他会計への繰出支出	
その他の支出	
業務収入	
税収等収入	
国県等補助金収入	
使用料及び手数料収入	
その他の収入	
臨時支出	
災害復旧事業費支出	
その他の支出	
臨時収入	
業務活動収支	
【投資活動収支】	
投資活動支出	
公共施設等整備費支出	
基金積立金支出	
投資及び出資金支出	
貸付金支出	
その他の支出	
投資活動収入	
国県等補助金収入	
基金取崩収入	
貸付金元金回収収入	
資産売却収入	
その他の収入	
投資活動収支	
【財務活動収支】	
財務活動支出	
地方債償還支出	
その他の支出	
財務活動収入	
地方債発行収入	
その他の収入	
財務活動収支	
本年度資金収支額	
前年度末資金残高	
本年度末資金残高	

前年度末歳計外現金残高	
本年度歳計外現金増減額	
本年度末歳計外現金残高	
本年度末現金預金残高	

6　資金収支計算書の附属明細書

資金収支計算書の附属明細書は、次頁【図表1−6−2】のとおりです。

【図表 1-6-2】資金の明細

（単位：　）

種　類	本年度末残高
現金	
要求払預金	
短期投資	
・・・・	
・・・・	
合　計	

7　資金収支計算書の活用事例

【予算要求特別枠の創設】

①　背景・目的

当該団体は、公共施設等の老朽化が喫緊の課題とされる一方で、厳しい財政状況の下、予算要求枠が制限されているため、思い切った老朽化対策を講じることができていませんでした。また、財務書類については、作成・公表するだけに留まっており、予算編成への活用が十分に図られていなかったのです。

②　事例概要

財務書類を活用して中長期的なコスト減につながる事業については、通常の予算要求枠とは別途、知事特別枠として「予算要求特別枠」を設定しました。当該特別枠に係る予算要求については、審査資料として施設別の行政コスト計算書や資金収支計算書を提出してもらうこととしました。

各部局からは、当該特別枠を活用して、「老朽化した小規模警察署の統合整備」、「県立高校の照明器具のまるごとLED化」等の予算要求が行われました。

第７章　連結財務書類の作成と活用

１　連結財務書類の作成目的

都道府県・市区町村とその関連団体を連結してひとつの行政サービス実施主体としてとらえ、公的資金等によって形成された資産の状況、その財源とされた税収等及び負債（地方債等）・純資産の状況さらには行政サービス提供に要したコストや資金収支の状況などを総合的に明らかにすることが連結財務書類の目的です。すなわち当該団体と一体として行政運営される団体を含めたものが連結財務書類です。

また、連結財務書類を作成することによって、連結ベースにおける有形固定資産減価償却率等の各種財政指標の把握が可能になり、公共施設等のマネジメントに役立つものと考えられます。

２　連結の対象団体

連結財務書類の対象範囲は、当該地方公共団体と連携協力して行政サービスを実施している関連団体に該当するか否かで判断され、【図表１−７−１】の範囲となります。

連結対象団体の選択の考え方は以下のとおりです。

⑴一部事務組合・広域連合

一部事務組合・広域連合は、規約において定められる負担割合に基づく構成団体の経費負担によっ

【図表 1-7-1】財務書類の対象となる団体（会計）

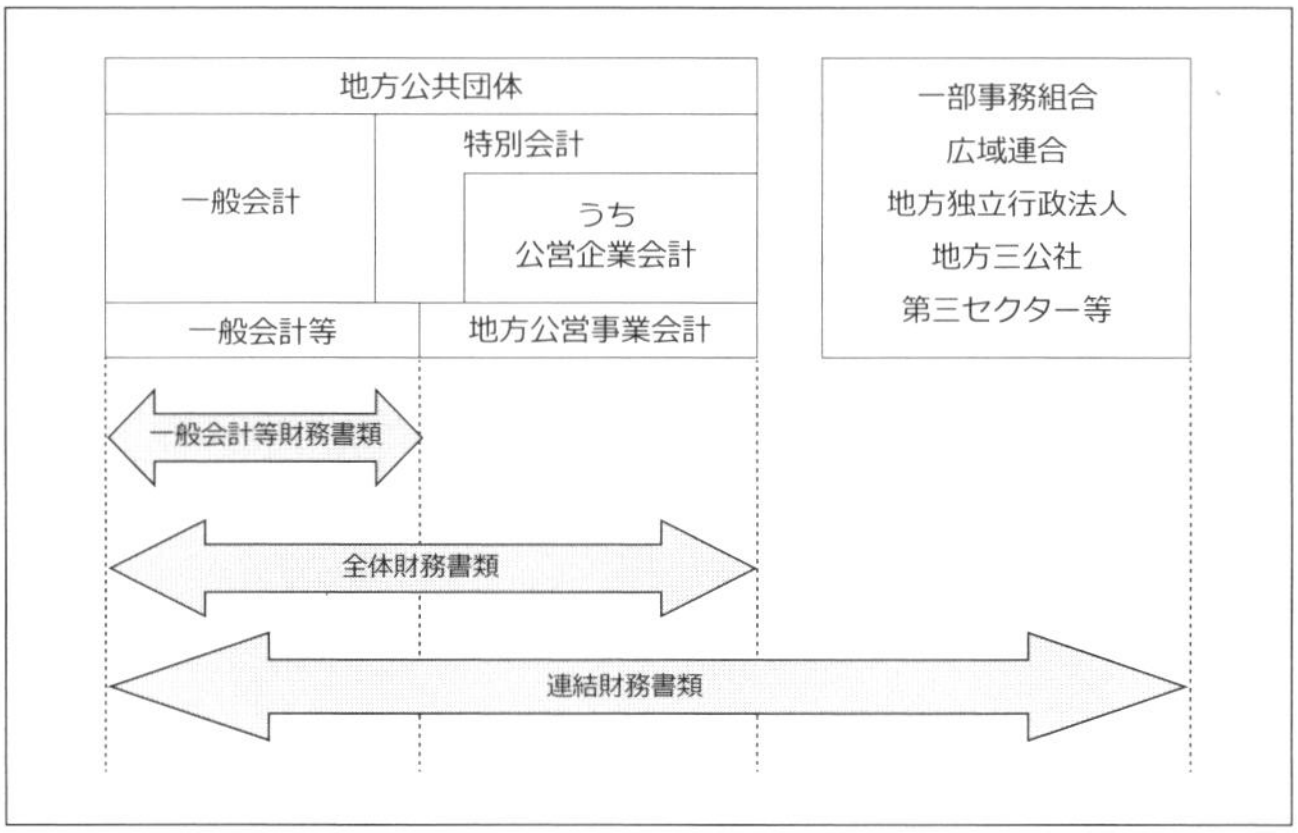

て運営されており、解散した場合はその資産・負債は最終的には各構成団体に継承されます。このため、自らが加入するすべての一部事務組合・広域連合を比例連結の対象とします。なお、比例連結とは、連結対象団体（会計）の財務書類を出資割合等に応じて合算することをいいます。

具体的には、一部事務組合・広域連合も一地方公共団体として財務書類を作成しているので、その財務書類をもとに、規約に基づく当該年度の当該団体の経費負担割合等に応じた比例連結を行います。

(2) 地方独立行政法人

地方独立行政法人は、中期計画の認可等を通じて設立団体の長の関与が及ぶとともに、設立団体から運営費交付金が交付されること等も踏まえ、自らが出資したすべての地方独立行政法人を全部連結の対象とします。当該法人が連結の範囲に含めた特定関連会社も連結対象となります。

(3) 地方三公社（土地開発公社、地方道路公社、地方住宅供給公社）

地方三公社は、いずれも特別の法律に基づき地方公共団体が全額出資して設立する法人であり、公共性の高い業務を行っています。

また、特別法により長の関与が及び、補助金の交付がなされるほか、土地開発公社及び地方道路公社については、法人の債務に対して地方公共団体が債務保証をすることができ、債務は最終的には地方公共団体が負うこととされていること、地方住宅供給公社に対しても地方公共団体が広く損失補償を行うなどの財政措置が行われ、その経営には実質的に地方公共団体が責任を負っていると考えられること等を踏まえ、全部連結の対象とします。

(4)第三セクター等

出資割合が50％超の第三セクター等については、地方公共団体の関与及び財政支援の下で、実質的に主導的な立場を確保しているといえるため、全部連結の対象とします。また、出資割合が50％以下の場合でも（役員の派遣、財政支援等の実態や、出資及び損失補償等の財政支援の状況を総合的に勘案し）その第三セクター等の業務運営に実質的に主導的な立場を確保していると認められる場合は、全部連結の対象とします（個々の第三セクター等の実態に即して各地方公共団体において判断）。

企業会計では、親会社が支配従属関係にある子会社を含めた連結財務書類を作成しており、子会社の判断基準として支配力基準が採用されています。第三セクター等もそれに準じた取扱いになります。なお、第三セクター等の業務運営に対しては、法律の規定に基づき出資者、出捐者の立場から地方公共団体の関与が及ぶほか、25％以上を出資している場合は監査委員による監査の対象となり、50％以上を出資している場合は、予算の執行に関する長の調査権等＋議会に対する経営状況の提出義務があります。

いずれの地方公共団体にとっても全部連結の対象とならない第三セクター等については、出資割合

【図表 1-7-2】全部連結の対象に含めるべき第三セクター等にあたるケースの例

1	第三セクター等の資金調達額の総額の過半（５０％超）を設立団体からの貸付額が占めている場合（資金調達額は設立団体及び金融機関等からの借入など貸借対照表の負債の部に計上されているものとする。設立団体からの貸付額には損失補償等を含むこととするが、補助金、委託料等は含まないものとする。）
2	第三セクター等の意思決定機関（取締役会、理事会等）の構成員の過半数を行政からの派遣職員が占める場合、あるいは構成員の決定に重要な影響力を有している場合
3	第三セクター等への補助金等が、当該第三セクター等の収益の大部分を占める場合（人件費の相当程度を補助するなど重要な補助金を交付している場合）
4	第三セクター等との間に重要な委託契約（当該第三セクター等の業務の大部分を占める場合など）が存在する場合
5	業務運営に関与しない出資者や出捐者の存在により、実質的には当該地方公共団体の意思決定にしたがって業務運営が行われている場合

（出所）総務省「統一的な基準による地方公会計マニュアル」（令和元年８月改訂）173頁

や活動実態等に応じて、比例連結の対象とします（ただし、出資割合が25％未満であって、損失補償を付している等の重要性がない場合は、比例連結の対象としないことができます）。

全部連結に含める第三セクター等のケースは【図表1－7－2】のとおりです。

なお、財団法人等に関する出資割合については、監査委員の監査あるいは長の調査の対象を判断する際の出資割合等として各地方公共団体において整理している割合を用います。また、社会福祉法人についても、第三セクター等に含めます。第三セクター等が出資している会社についても、第三セクター等の取扱いに準じることとなりますが、その場合、地方公共団体及び連結対象団体（会計）の資本金、出捐金等をあわせて判断する必要があります。

(5)共同設立等の地方独立行政法人・地方三公社

原則として、出資割合や財政支出の状況等から業務運営に実質的に主導的な立場を確保している地方公共団体が全部連結を行います。ただし、業務運営に実質的に主導的な立場を確保している地方公共団体を特定できない場合は、出資割合、活動実態等に応じて比例連結を行うこととします。すなわち、地方道路公社については、財政健全化法施行規則第12条第１号で定める「出資割合又は設立団体間で協議の上定めた割合」により比例連結を、土地開発公社については、構成団体が特定される項目はそれぞれの団体に帰属する金額をもって連結を行い、それ以外の項目は上記法施行規則に応じて按分することとされました。

⑹財産区

財産区については、市町村等に財産を帰属させられない経緯から設けられた制度であることから、連結の対象としません。

⑺地方共同法人（地方競馬全国協会、地方公務員災害補償基金、日本下水道事業団、地方公共団体金融機構、地方公共団体情報システム機構など）

地方共同法人には、地方公共団体が出資金や負担金を支払っているが、個々の団体の出資割合等は概して低いため、連結の対象とはしません。

３　連結決算日

連結決算日は３月31日とします。なお、連結対象団体（会計）の決算日が３月31日と異なる場合、３月31日における仮決算を行うことを原則としますが、決算日の差異が３か月を超えない場合には、連結対象団体（会計）の決算を基礎として連結手続を行うことができることとなっています。

4　連結財務書類の体系と表示

(1)連結財務書類の体系

連結財務書類の体系は以下のとおりです。

①　連結貸借対照表

②　連結行政コスト計算書

③　連結純資産変動計算書

④　連結資金収支計算書

⑤　連結附属明細書

連結行政コスト計算書及び連結純資産変動計算書については、別々の計算書としても、その二つを結合した計算書としても差し支えありません。

(2)連結資金収支計算書の取扱い

連結資金収支計算書については、事務負担等に配慮して当分の間は作成しないことが許容されました。

(3)連結純資産変動計算書の取扱い

連結純資産変動計算書については、連結対象団体（会計）において純資産を固定資産等形成分と余剰分（不足分）という内訳に分類していない場合も多いため、その事務負担等に配慮して当該内訳を記載しないことも許容されました。

(4)連結財務書類の様式

連結財務書類の様式は次頁の【図表１−７−３】のとおりです。なお、上記(3)の取扱いとした場合、**連結貸借対照表**では、固定資産の額に流動資産における短期貸付金及び基金等を加えた額を固定資産等形成分に記載し、他団体出資等分を連結純資産変動計算書から転記した上で、純資産額からこれらをあわせた額を差し引いた額を余剰分（不足分）に記載します。また、**連結純資産変動計算書**では、連結貸借対照表における固定資産等形成分及び余剰分（不足分）の額を転記し、本年度純資産変動額には、転記されたそれぞれの額から前年度末の残高を差し引いた額を記載します。図表にはこれらの関係も示しました。

【図表 1-7-3】連結財務書類

連結純資産変動計算書

自　〇〇　年　月　日
至　〇〇　年　月　日

（単位：　）

科目	合計	固定資産等形成分	余剰分（不足分）	他団体出資等分
前年度末純資産残高				
純行政コスト（△）				
財源				
税収等				
国県等補助金				
本年度差額				
固定資産等の変動（内部変動）		省略可能		
有形固定資産等の増加				
有形固定資産等の減少				
貸付金・基金等の増加				
貸付金・基金等の減少				
資産評価差額				
無償所管換等				
他団体出資等分の増加				
他団体出資等分の減少				
その他				
本年度純資産変動額				
本年度末純資産残高		連結貸借対照表より転記		

連結貸借対照表

（〇〇　年　　月　　日現在）

（単位：　）

科目	金額	科目	金額
【資産の部】		【負債の部】	
固定資産		固定負債	
有形固定資産		地方債等	
事業用資産		長期未払金	
・・・		退職手当引当金	
インフラ資産		損失補償等引当金	
・・・		その他	
物品		流動負債	
物品減価償却累計額		１年内償還予定地方債等	
無形固定資産		未払金	
ソフトウェア		未払費用	
その他		前受金	
投資その他の資産		前受収益	
投資及び出資金		賞与等引当金	
・・・		預り金	
長期延滞債権		その他	
長期貸付金		負債合計	
基金		【純資産の部】	
・・・		固定資産等形成分	
その他		余剰分（不足分）	
徴収不能引当金		他団体出資等分	
流動資産			
現金預金			
未収金			
短期貸付金			
基金			
財政調整基金			
減債基金			
棚卸資産			
その他			
徴収不能引当金			
繰延資産		純資産合計	
資産合計		負債及び純資産合計	

①合計額を記載

②純資産変動計算書より転記

③純資産額から固定資産等形成分と他団体出資等分をあわせた額を引いた額を記載

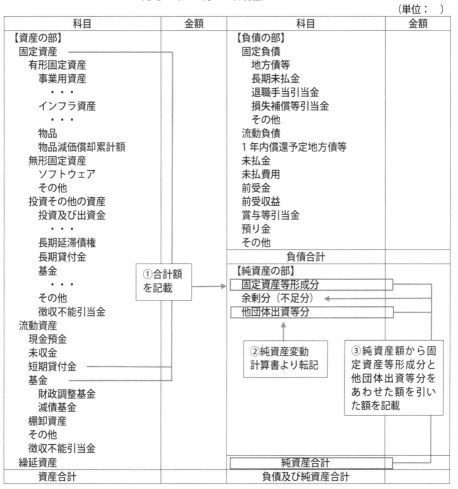

連結行政コスト計算書

自　〇〇　年　月　日
至　〇〇　年　月　日

（単位：　）

科目	金額
経常費用 　　業務費用 　　　人件費 　　　　職員給与費 　　　　賞与等引当金繰入額 　　　　退職手当引当金繰入額 　　　　その他 　　　物件費等 　　　　物件費 　　　　維持補修費 　　　　減価償却費 　　　　その他 　　　その他の業務費用 　　　　支払利息 　　　　徴収不能引当金繰入額 　　　　その他 　　移転費用 　　　補助金等 　　　社会保障給付 　　　その他 　経常収益 　　使用料及び手数料 　　その他	
純経常行政コスト	
臨時損失 　　災害復旧事業費 　　資産除売却損 　　損失補償等引当金繰入額 　　その他 　臨時利益 　　資産売却益 　　その他	
純行政コスト	

１ 財務書類の活用方策

財務書類の活用方策は、総務省の研究会では【図表１－８－１】のように示されています。

【図表 1-8-1】財務書類の活用方策

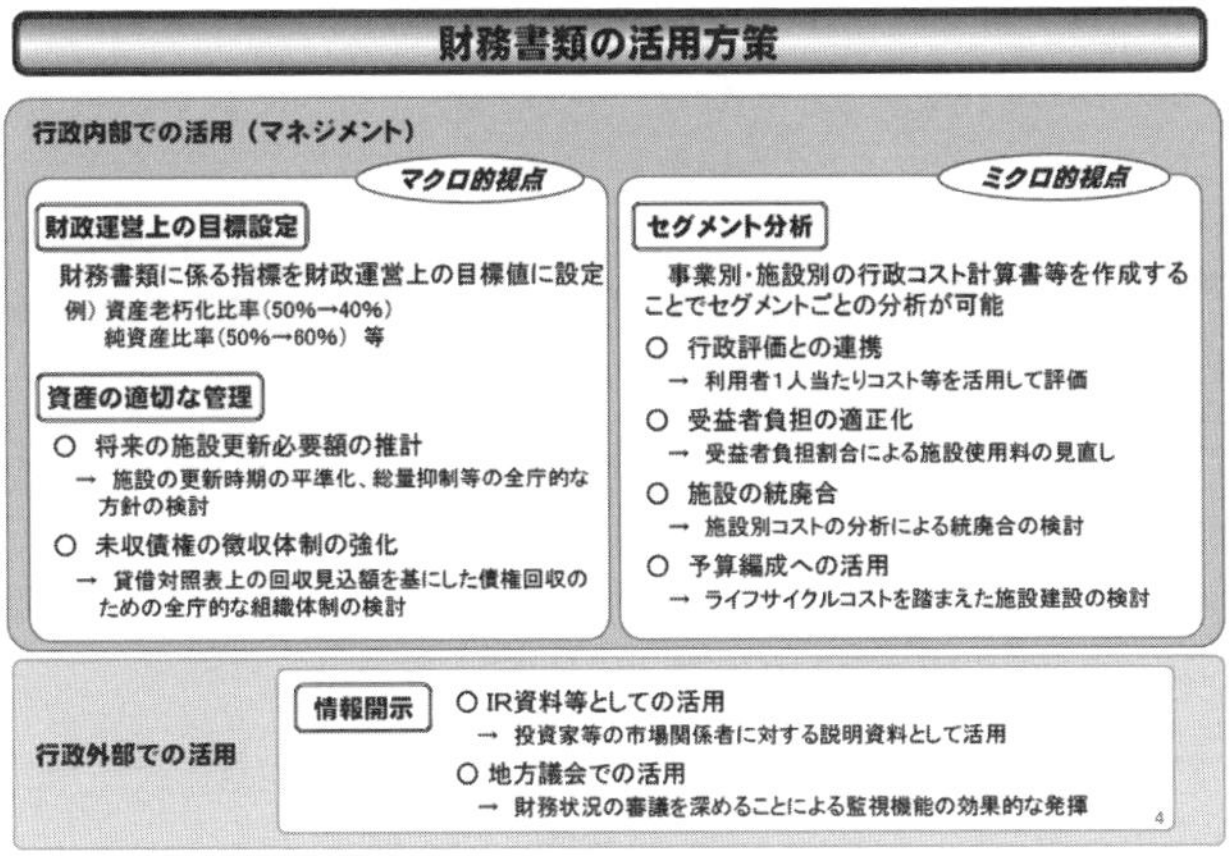

（出所）総務省「財務書類等活用の手引き」（平成27年１月）

２ 財政指標の設定と活用

公共施設等の老朽化対策が大きな課題となっていますが、決算統計や地方財政健全化法における既存の財政指標では、資産の老朽化度合いまでを把握することはできません。貸借対照表を作成することで、有形固定資産のうち償却資産の取得価額等に対する減価償却累計額の割合を算出し、この有形固定資産減価償却率を資産老朽化比率として把握することができます。資産老朽化比率を算出することにより、団体の資産全体としての老朽化度合いを把握することができ、施設類型別や個別施設ごとの資産老朽化比率を算出することにより、老朽化対策の優先順位を検討する際の参考資料の一つとすることができ、予算編成につなげることも期待できます。

住民一人当たり資産額や歳入額対資産比率といった資産形成度に係るその他の指標を設定することにより、資産の適正規模等も含めた幅広い検証を行うこともできます。また世代間公平性や持続可能性（健全性）、効率性、弾力性、自律性に係る指標を設定することによって、より多角的な視点からの分析を行うことも可能となるでしょう。さらに、決算統計や地方財政健全化法における既存の財政指標等も組み合わせて、例えば、将来負担比率が低くても資産老朽化比率が高ければ、老朽化対策の先送りという将来負担が潜在しているリスクの可能性など、より総合的な分析検証を行うこともできます。

3　適切な資産管理と活用

固定資産台帳には公共施設等の耐用年数や取得価額等が記載されており、将来の施設更新必要額を推計することができます。公共施設等の老朽化対策という課題を将来の施設更新必要額という数値データで「見える化」することにより、庁内、住民や議会も巻き込んで課題を共有することができます。また、公共施設等総合管理計画の充実・精緻化に活用することで、公共施設等の更新時期の平準化や総量抑制等の適切な更新・統廃合・長寿命化を行うことにもつながります。なお、将来の施設更新必要額は、法定耐用年数等に基づくものであるため、個々の公共施設等の老朽化対策に当たっては、実際の損耗状態、過去の修繕履歴等を踏まえる必要があります。

また、未収債権も、地方税、介護保険料、公営住宅使用料、給食費といった債権の種類ごとに担当課が分かれる中で、全庁的な組織体制の検討など、債権徴収に係る一層の合理化・効率化が求められます。貸借対照表を作成することで、徴収不能引当金控除後の債権額全体が明らかになるため、未収債権の徴収体制の強化の必要性が認識され、全庁的な組織体制の検討につながることが期待されます。

4　資産形成度の財務比率と活用

資産形成度は、「将来世代に残せる資産はどのくらいあるか」といった住民等の関心に基づくものです。資産に関する情報は、歳入歳出決算に添付される財産に関する調書にありますが、土地及び建物は地積や面積で測定され、動産も個数で表示されるなど、地方公共団体の保有する資産の価値に関する情報を得ることはできません。また、決算統計や地方財政健全化法でも財政指標が既にありますが、いずれも資産形成度を表す指標ではないため、資産形成度に関する指標は財務書類を作成することによって初めて得られるものです。

貸借対照表は、資産の部において地方公共団体の保有する資産のストック情報を一覧表示しており、これを住民一人当たり資産額や有形固定資産の行政目的別割合、歳入額対資産比率といった指標を用いてさらに分析することにより、住民等に対して新たな情報を提供することができます。

指標①「住民一人当たり資産額」

資産額を住民基本台帳人口で除して（割って）住民一人当たり資産額とすることにより、わかりやすい情報となり、他団体との比較が容易になります。

指標②「有形固定資産の行政目的別割合」

有形固定資産の行政目的別（生活インフラ・国土保全、福祉、教育等）の割合を算出し、経年比較することにより行政分野ごとの社会資本形成の比重の把握が可能となり、また、類似団体との比較により資産形成の特徴を把握し、今後の資産整備の方向性を検討するのに役立てることができます。

指標③「歳入額対資産比率」

当該年度の歳入総額に対する資産の比率を算出することにより、これまでに形成されたストックとしての資産が、歳入の何年分に相当するかを表し、自団体の資産形成の度合いを測ることができます。

5　資産老朽化度の財務比率と活用

有形固定資産のうち、償却資産の取得価額等に対する減価償却累計額の割合を算出することにより、耐用年数に対して資産の取得からどの程度経過しているのかを把握することができます。さらに、固定資産台帳等を活用すれば、行政目的別や施設別の有形固定資産減価償却率も算出することができます。

指標④「有形固定資産減価償却率」

計算式は次頁【図表1－8－2】の通りです。

6　世代間公平性の財務比率と活用

世代間公平性は、「将来世代と現世代との負担の分担は適切か」であり、これは、貸借対照表上の資産、負債及び純資産の対比によって明らかにされます。

【図表 1-8-2】「有形固定資産減価償却率」計算式

$$\text{有形固定資産減価償却率} = \frac{\text{減価償却累計額}}{\text{有形固定資産合計} - \text{土地等の非償却資産} + \text{減価償却累計額}}$$

世代間公平性を表す指標としては、地方財政健全化法における将来負担比率がありますが、貸借対照表は、財政運営の結果として、資産形成における将来世代と現世代までの負担のバランスが適切に保たれているのか、どのように推移しているのかの把握を可能にするものであり、純資産比率や社会資本等形成の世代間負担比率（将来世代負担比率）が分析指標として挙げられます。

ただし、将来世代の負担となる地方債の発行については、原則として将来にわたって受益の及ぶ施設の建設等の資産形成に充てることができるものであり（建設公債主義）、その償還年限も、当該地方債を財源として建設した公共施設等の耐用年数を超えないこととされています（地方財政法第５条及び第５条の２）。

したがって、受益と負担のバランスや地方公共団体の財政規律が一定程度確保されるように既に制度設計されていることにも留意しておく必要があります。なお、地方債には、その償還金に対して地方交付税措置が講じられているものがあるため、この点にも留意が必要です。

指標⑤「純資産比率」

地方債の発行を通じて、将来世代と現世代の負担の配分を行いますが、純資産の変動は、将来世代と現世代との間で負担の割合が変動したことを意味します。

例えば、純資産の減少は、現世代が将来世代にとっても利用可能であった資源を費消して便益を享受する一方で、将来世代に負担が先送りされたことを意味し、逆に、純資産の増加は、現世代が自らの負担によって将来世代も利用可能な資源を蓄積したことを意味すると捉えることができます。

ただし、純資産は固定資産等形成分及び余剰分（不足分）に分類されるため、その内訳にも留意する必要があります。

指標⑥「社会資本等形成の世代間負担比率（将来世代負担比率）」

社会資本等について将来の償還等が必要な負債による形成割合（公共資産等形成充当負債の割合）を算出することにより、社会資本等形成に係る将来世代の負担の比重を把握することができます。

第9章　財務書類の活用（その2）
――行政運営のミクロ的視点（セグメント分析）

1　財務書類の事業別・施設別のセグメント分析と活用

① 予算編成への活用

財務書類等を管理会計的なマネジメント・ツールとして予算編成に積極的に活用し、限られた財源を「賢く使うこと」は極めて重要です。施設の統廃合、受益者負担の適正化等の審議において予算編成につなげるよう活用する他、行政評価と連携させたり、施設建設に係る予算編成過程においては、施設別行政コスト計算書を試算して建設費用だけでなくランニングコストも踏まえた議論を行い、審査資料として活用したり、直営の場合と民間委託の場合でそれぞれ試算した事業別・施設別の行政コスト計算書等を比較して民間委託の検討に活用したりすることができます。

また、財務書類を予算編成に活用する意識の醸成も重要であり、首長等がイニシアティブを発揮して、初年度にはある程度のコストが掛かるものの、中長期的にはコストの縮減につながることを施設別行政コスト計算書等の試算によって「見える化」し、通常の予算要求枠とは別途の予算要求特別枠を設定することなども考えられます。

② 施設の統廃合の審議活用

公共施設等総合管理計画において、具体的な個別施設の統廃合を検討するにあたっては、施設別の行政コスト計算書等を作成してセグメント分析を実施することが有効です。施設別の行政コスト計算書等により、利用者一人当たりのコストを把握することができ、例えば、同類型の個別施設のデータを並列することにより、どの施設が高コストなのかが一目瞭然となります。

もっとも、施設の統廃合に当たっては、このようなコスト情報だけでなく丁寧な議論が必要で、施設別コスト情報の「見える化」を契機として、統廃合に向けた議論が広く住民や議会を巻き込んだ形でなされることが期待されます。

③ 受益者負担の適正化の審議活用

使用料・手数料等は、受益者負担の原則に基づき、当該施設の維持管理費や減価償却費、当該サービスに要する経費等を基礎として算出されるものですが、行政コスト計算書を活用して使用料・手数料等の改定につなげることもできます。

具体的には、事業別・施設別の行政コスト計算書を作成することで、減価償却費や退職手当引当金等も含めたフルコストで利用者一人当たりのコストを算出し、当該データを使用料・手数料等の改定の基礎データとすることができます。受益者負担割合は、施設やサービス等の性質によって異なるものであることから、施設やサービス等の類型ごとに標準的な受益者負担割合を設定することも考えられます。

④　行政評価との連携による審議活用

行政コスト計算書は、フルコストを計上するものであり、事業別・施設別の行政コスト計算書等を行政評価と連携させることにより、フルコスト情報に基づいたより精緻な行政評価が可能となります。なお、行政評価については、評価結果を予算編成に上手く結び付けることが重要であり、最初からすべての事業別・施設別の行政コスト計算書等を網羅的に作成するのではなく、段階的に対象範囲を拡大していくといった工夫も有効です。

⑤　人件費等の按分基準の設定による審議活用

①から④までのようなセグメント分析を行うに当たっては、人件費や減価償却費、地方債利子等を各事務事業に適切に按分することで、より正確なコストによる精緻なセグメント分析を行うことができます。ただし、按分をあまりにも精緻に行うことにより、過度の事務負担が発生する懸念もあるので、セグメント分析の趣旨・目的に照らしながら、一定程度の事務作業の簡素化に努めることも重要です。

2　負債の状況の分析と審議活用

負債の状況は、「財政に持続可能性があるか（どのくらい借金があるか）」という住民等の関心に基づくものであり、これに対しては、第一に、地方財政健全化法の健全化判断比率（実質赤字比率、連結実質赤字比率、実質公債費比率及び将来負担比率）による分析が行われますが、これに加えて財務書類も有用な情報を提供することができます。

負債に関する情報については、現行も、債務負担行為額及び地方債現在高についてそれぞれ調書が添付されていますが、貸借対照表では、この他に退職手当引当金や未払金など、発生主義によりすべての負債を捉えることになります。

財政の持続可能性に関する指標としては、住民一人当たり負債額、基礎的財政収支（プライマリーバランス）や債務償還可能年数が挙げられます。

① 住民一人当たり負債額

負債額を住民基本台帳人口で除して住民一人当たり負債額とすることにより、住民にとってわかりやすい情報となるとともに、他団体との比較が容易となります。

② 基礎的財政収支（プライマリーバランス）

資金収支計算書上の業務活動収支（支払利息支出を除く。）及び投資活動収支の合算額を算出することにより、地方債等の元利償還額を除いた歳出と、地方債等の発行収入を除いた歳入のバランスを示す指標となり、均衡している場合には、経済成長率が長期金利を下回らない限り経済規模に対する地方債等の比率は増加せず、持続可能な財政運営であるといえます。

なお、基礎的財政収支については、地方の場合は国とは異なって、建設公債主義等がより厳密に適用されており、自己判断で赤字公債に依存することができないため、国と地方で基礎的財政収支を一概に比較すべきでないことにも留意する必要があります。

③　債務償還可能年数

実質債務が償還財源の何年分あるかを示す指標で、経常的な業務活動の黒字分を債務の償還に充当した場合に、何年で現在の債務を償還できるかを表す理論値であるが、債務の償還原資を経常的な業務活動からどれだけ確保できているかということは、債務償還能力を把握する上で重要な視点の一つです。

この指標は当初、分母の償還財源に資金収支計算書における業務活動収支の黒字分（臨時収支分を除く）を用いることとしていましたが、その後の検証において、業務支出の中には、所有外資産の整備費用等、投資活動的な支出も含まれているため、業務活動収支の黒字分が極端に小さく（または赤字に）なり、債務償還可能年数が極端に長く（または算出不能に）なりうるという課題等が指摘されました。このため、当面は、分母の償還財源に決算統計の経常一般財源等（歳入）と経常経費充当財源等（歳出）の差額を用いることとし、地方公会計の取組においては参考指標の位置付けとなっています。

3　行政コストの状況の分析と審議活用

行政コストの状況は、「行政サービスに係るコストはどのようになっているか」といった住民等の関心に基づくもので、地方自治法においても、「最少の経費で最大の効果を挙げるようにしなければならない」とされており（地方自治法第2条第14項）、財政の持続可能性と並んで重要な視点です。

行政の効率性については、行政評価において個別に分析が行われていますが、行政コスト計算書は地方公共団体の行政活動に係る人件費や物件費等の費用を発生主義に基づきフルコストとして表示するもので、行財政の効率化に資する情報を一括して提供するものです。

行政コスト計算書においては、住民一人当たり行政コストや性質別・行政目的別行政コストといった指標を用い、効率性の度合いを定量的に測定することが可能となります。

④　住民一人当たり行政コスト

住民一人当たりの行政コストの額を算出することにより、住民にとってもわかりやすく、類似団体と比較し、当該団体の効率性の度合いを分析することができます。

⑤　性質別・行政目的別行政コスト

行政コスト計算書では、性質別（人件費、物件費等）の行政コストが計上されており、また、附属明細書では、行政目的別（生活インフラ・国土保全、福祉、教育等）の行政コストが計上されています。これらを経年比較することにより、行政コストの増減項目の分析が可能となります。

また、性質別・行政目的別行政コストを住民基本台帳人口で除して、「住民一人当たり性質別・行政目的別行政コスト」を算出し、類似団体と比較することで、性質別・行政目的別の行政コストの分析が可能となります。

4　財源の状況の分析と審議活用

財源の状況、すなわち財政の弾力性は、「資産形成等を行う余裕はどのくらいあるか」といった住民等の関心に基づくものであり、一般に、経常収支比率（「経常経費充当一般財源」の「経常一般財源総額」に占める比率）等が用いられますが、財務書類においても、弾力性の分析が可能です。

すなわち、純資産変動計算書において、地方公共団体の資産形成を伴わない行政活動に係る行政コストに対して地方税、地方交付税等の当該年度の一般財源等がどれだけ充当されているかを示す「行政コスト対税収等比率」を表すことができ、これは、当該団体がインフラ資産の形成や施設の建設といった資産形成を行う財源的余裕度がどれだけあるかを示すものといえます。

⑥　行政コスト対税収等比率

税収等の一般財源等に対する行政コストの比率を算出することで、当該年度の税収等のうち、どれだけが資産形成を伴わない行政コストに費消されたのかを把握することができます。この比率が１００％に近づくほど資産形成の余裕度が低いといえ、さらに１００％を上回ると、過去から蓄積した資産が取り崩されたことを表します。

5　受益者負担の状況の分析と審議活用

受益者負担の状況は、「歳入はどのくらい税収等で賄われているか（受益者負担の水準はどうなっているか）」といった住民等の関心に基づくものであり、決算統計における歳入内訳や財政力指数が関連するが、財務書類の行政コスト計算書においても、使用料・手数料などの受益者負担の割合を算出することが可能であるため、これを受益者負担水準の適正さの判断指標として用いることができます。

⑦　受益者負担の割合

経常収益は、使用料・手数料など行政サービスに係る受益者負担の金額であり、これを経常費用と比較することにより、行政サービスの提供に対する受益者負担の割合を算出することができます。これを経年比較、あるいは類似団体と比較することなどにより、当該団体の受益者負担の状況を把握できます。

また、事業別・施設別の受益者負担の割合を算出することにより、各事業・施設の受益者負担の状況を分析し、使用料等の見直しの必要性等の検討に資する情報を把握できます。なお、受益者負担に類似するもので、分担金や負担金として徴収しているものについては経常収益に含まれないため、必要に応じて、分担金や負担金を加えた比率で分析することが考えられます。

6 セグメント分析のための人件費等の按分基準を設定するケース

① 背景・目的

- 財務書類の活用に当たっては、事務事業別といった必要な単位に応じた精緻なセグメント分析が有効です。
- 正確なコストを把握するためには、事務事業費とは別建てで計上されている人件費等を各事務事業に適切に按分することが必要です。

② 事例概要

- 人件費等を按分するための実務指針を作成し、各事務事業に人件費等を適切に按分します。
- 人件費の按分の考え方

原則として以下の算式に基づいて按分
（職階別平均給与額）×（事務事業別職員数）

※職階別平均給与額を用いることで、事務事業側ではコントロールできない要素（配置された職員の年齢差等に基づく所与の単位差）をできるだけ排除
※総務・管理部門の費用については、関係する事務事業すべてに按分するのではなく、総務・管理部門として独立した事務事業単位を設定し区分する（総務・管理部門職員の人件費、庁舎の減価償却費など）。

第10章　財務書類の活用（その3）
――行政外部での活用の視点

1　行政外部での活用（アカウンタビリティの履行目的）

(1) 住民への公表や地方議会での活用

財務書類を公表するに当たって、最も重要な点は、財務書類の利用者にとって「理解可能なものであること」です。地方公会計による開示情報の受け手は、地方財政や会計に関する一定の知見を有するとは限らないため、企業会計における投資家や債権者等のような理解可能性を前提とすることができません。

まず、財務書類はわかりやすく公表することが重要であり、財務指標の設定や適切な資産管理、セグメント分析を情報開示にも活用し、財務書類そのものについても、要約した上でわかりやすい説明を加えるといった工夫が考えられます。

また、地方公共団体の財務状況に関する説明責任は、住民とともに議会に対しても果たさなければならず、現行制度においては、地方公共団体の長は、歳入歳出決算を議会の認定に付する際、当該決算に係る財務書類についても、決算を認定する議会に併せて提出することが考えられます。これにより、議会における審議を深めることができ、議会審議の活性化につながります。

⑵ 地方債ＩＲへの活用

地方債の借入先については、地方債資金の市場化の流れの中で、市場公募債と銀行等引受債の発行割合が増加し、資金調達の多様化が進んでいます。市場公募債については、積極的にＩＲ説明会が実施されています。

財務書類は、発行団体の財務状況を投資家等の市場関係者に対してわかりやすく示すものであり、発行団体においては、これをＩＲ説明会の基礎資料として活用することで、地方債の信用力の維持・強化を図ることが期待されています。

⑶ ＰＰＰ／ＰＦＩの提案募集

財政負担を極力抑えつつ公共施設等の効果的かつ効率的な整備・運営を行っていくためには、民間の資金・ノウハウを活用したＰＰＰ（Public Private Partnership：官民パートナーシップ）／ＰＦＩ（Private Finance Initiative：民間資金等の活用）の導入も有効な選択肢の一つです。セグメント分析を活用した予算編成や行政評価等によってＰＰＰ／ＰＦＩの導入が進んでいくことが考えられ、固定資産台帳を公表することによって、ＰＰＰ／ＰＦＩに関する民間事業者からの積極的な提案につなげていくことも期待されるところです。

なお、ＰＰＰ／ＰＦＩに関する民間事業者からの提案が積極的になされるためには、固定資産の情報を整理する中で、有効活用を図るべき資産の利用状況やランニングコスト等の情報を追加することも必要であり、また関連分野の地域企業を地域金融機関が積極的にコーディネイトしていくことも期待されています。

2　財務書類の他の活用方法

⑴ 注　記

各財務書類には、財務書類を読むための必要な情報が注記されています。

① 重要な会計方針等

財務書類作成のために採用している会計処理の原則及び手続並びに表示方法その他財務書類作成のための基本となる事項は**【図表１−10−１】**のとおりです。

② 重要な会計方針の変更等

③ 重要な後発事象

主要な業務の改廃、組織・機構の大幅な変更、地方財政制度の大幅な改正、重大な災害等の発生など。

④ 偶発債務

【図表 1-10-1】重要な会計方針

・有形固定資産等の評価基準及び評価方法
・有価証券等の評価基準及び評価方法
・有形固定資産等の減価償却の方法
・引当金の計上基準及び算定方法
・リース取引の処理方法
・資金収支計算書における資金の範囲
・その他財務書類作成のための基本となる重要な事項

（出所）平成27年1月総務省資料（財務書類作成要領）

保証債務及び損失補償債務負担の状況、係争中の訴訟等で損害賠償等の請求を受けているものなど。

⑤ 追加情報

財務書類の内容を理解するために必要と認められる次のような事項です。

i 健全化判断比率の状況
ii 債務負担行為の翌年度以降の支出予定額
iii 繰越事業に係る将来の支出予定額
iv 売却可能資産
v 地方交付税措置のある地方債
vi 将来負担に関する情報（地方財政健全化法）
vii リース債務金額
viii 一時借入金の増減額が含まれていない旨並びに一時借入金の限度額及び利子の金額

(2) 附属明細書

例えば、貸借対照表の内容に関する明細は、【図表1－10－2】のように作成・開示されています。

③基金の明細						（単位：　）
種類	現金預金	有価証券	土地	その他	合計 （貸借対照表計上額）	（参考）財産に関する調書記載額
財政調整基金						
減債基金						
…						
…						
合計						

④地方債（借入先別）の明細										（単位：　）
種類	地方債残高		政府資金	地方公共団体金融機構	市中銀行	その他の金融機関	市場公募債			その他
		うち1年内償還予定						うち共同発行債	うち住民公募債	
【通常分】										
一般公共事業										
公営住宅建設										
災害復旧										
教育・福祉施設										
一般単独事業										
その他										
【特別分】										
臨時財政対策債										
減税補てん債										
退職手当債										
その他										
合計										

【図表 1-10-2】貸借対照表の内容に関する明細

①有形固定資産の明細

（単位：　）

区分	前年度末残高 (A)	本年度増加額 (B)	本年度減少額 (C)	本年度末残高 (A)＋(B)−(C) (D)	本年度末 減価償却累計額 (E)	本年度償却額 (F)	差引本年度末残高 (D)−(E) (G)
事業用資産							
土地							
立木竹							
建物							
工作物							
船舶							
浮標等							
航空機							
その他							
建設仮勘定							
インフラ資産							
土地							
建物							
工作物							
その他							
建設仮勘定							
物品							
合計							

②有形固定資産の行政目的別明細

（単位：　）

区分	生活インフラ・ 国土保全	教育	福祉	環境衛生	産業振興	消防	総務	合計
事業用資産								
土地								
立木竹								
建物								
工作物								
船舶								
浮標等								
航空機								
その他								
建設仮勘定								
インフラ資産								
土地								
建物								
工作物								
その他								
建設仮勘定								
物品								
合計								

3　審議活用のケース

⑴ セグメント分析により行政評価との連携・予算編成への活用

① 背景・目的

施設別の行政コスト計算書等による行政評価は既に実施していたが、当該評価結果を活用して具体的な予算編成につなげることが課題となっていました。

② 活用事例

【行政評価における活用（図書館開館直後と直近で比較）】

・貸出1冊当たりコスト：267円→236円（▲31円）

・貸出利用者数：9万5031人→7万4139人（▲2万892人）

※貸出1冊当たりのコストは下がっていますが、貸出利用者数が減少しています。今後はコスト削減が貸出利用者数の減少を招かないような工夫が必要です。

【予算編成における活用】

・予算編成に当たり、アウトソーシング化（指定管理者制度への移行）を検討

・指定管理者制度に移行した場合の予想行政コスト計算書等を作成して比較検討

※指定管理者制度に移行することで、コスト削減と市民サービス向上の両立が可能となりました。

・コスト削減（▲326万1000円）

・休館日（毎週月曜日）廃止

(2) 情報開示（地方議会での審議活用）

① 背景・目的

議会に対する予算説明資料では、各事業にかかる人件費や減価償却費等が見えにくいことから、事業別にフルコストを表示したアニュアルレポートを作成し、議会に報告することとしています。

② 活用事例

財務書類やセグメント分析の概要をわかりやすくまとめたアニュアルレポートを作成・公表し、議会にも提出しています（別途、財務書類も議会に提出しています）。アニュアルレポートには、すべてのセグメント分析の結果を掲載するのではなく、任意で抽出した数事業を例示として掲載することにより、議会や住民に関心を持ってもらうことにしています。実際に議会での質疑応答も行われています。

(3) 情報開示（ＰＰＰ／ＰＦＩの提案募集）

① 背景・目的

公共サービス水準の向上、公共負担の削減及び公共資産の有効活用の観点から、民間事業者の創意工夫やノウハウを活用することが有効・有益です。

② 活用事例

地域完結型のＰＰＰを実現するため、市と関連地域企業からなる「ＰＰＰプラットフォーム」を設置し、ＰＰＰ／ＰＦＩセミナーを継続的に開催しています。

事業の実施自体について政策的な意思決定がなされているものを対象として、民間事業者からＰＰＰ／ＰＦＩの提案等を求めるための対象事業リストを毎年度作成・公表しています。また、ＰＰＰ

／ＰＦＩ民間提案等ガイドブックを策定し、民間提案等を受け付ける体制を整備しました。

第11章　地方公営企業会計の活用

地方公営企業会計制度等研究会報告書によれば、新基準の改定後の活用の方向性は以下のとおりです。

1　新地方公営企業会計の基準

(1) 企業会計原則の考え方を最大限取り入れたものとすること

企業会計の新体系を取り入れることによって、公営企業の経営活動の経済性と効率性が測定可能となります。

(2) 地方公営企業の特性等を適切に勘案すべきこと

地方公営企業は、民間企業と異なり料金収入だけで収支均衡が図られるのではなく、公益性の強さに応じて税負担が求められるところがあります。

地方公営企業会計においては、負担区分原則に基づく一般会計等負担や国庫補助金等の存在に十分意を用いて、これらの公的負担の状況を明らかにする必要があり、一般会計等との連結等にも留意するとしています。

すなわち、公営企業の収入財源は、料金収入と税金等の負担金であり、業務の収益性水準によってその負担割合の適切性を評価することになります。

(3)「地域主権」の確立に沿ったものとすること

地方公共団体における地方公営企業経営の自由度の向上を図り、ストック情報を含む財務状況の開示を拡大し、ディスクロージャーを徹底化することは、一方では経営の自由度が増し効果的な運営が可能となることでもあります。

2 地方公営企業会計制度等の改定の全体像

(1) 資本制度の見直し

地域の自主性及び自立性を高めるための改革の推進を図るための関係法律の整備に関する法律（平成23年）により、地方公営企業法が改正され、議会の議決を経て減資が可能となりました。

(2) 地方公営企業会計基準の見直し

地方公営企業法施行令等の一部を改正する政令（平成24年）により、地方公営企業法施行令等が改正され、会計基準が見直されました。

会計基準見直しの対象となった勘定科目は以下のとおりです。

1 借入資本金
2 補助金等により取得した固定資産の償却制度等
3 引当金
4 繰延資産
5 棚卸資産の価額

6　減損会計
7　リース取引に係る会計基準
8　セグメント情報の開示
9　キャッシュ・フロー計算書
10　勘定科目等の見直し
11　組入資本金制度の廃止（資本制度の見直しの積み残し）

(3) 財務規定等の適用範囲の拡大等

簡易水道事業・下水道事業等への財務規定等の適用拡大が決定されました。

新地方公営企業会計の基準の適用拡大については、平成27年1月27日付総務大臣通知により、公営企業の経営基盤の強化や財政マネジメントの向上等にさらに的確に取り組むためには、民間企業の会計基準と同様の公営企業会計を適用し、経営・資産等の状況の正確な把握、弾力的な経営等を実現することが必要とされ、平成27年～平成31年度の集中取組期間と、令和元年～令和5年の拡大集中取組期間が設定されました。

3　財務書類の改定

(1) 貸借対照表

貸借対照表の会計基準の改定は以下のとおりです。

①　借入資本金：負債（企業債、他会計借入金）として計上するため廃止します。

② 繰延収益(長期前受金):償却資産の取得に伴う補助金等を計上(減価償却に伴い収益化)します。
③ 引当金:退職給付引当金、賞与引当金、修繕引当金、特別修繕引当金等を計上します。
④ 繰延資産:事業法において計上を認められているもの以外は計上を認めません。
⑤ 控除対象外消費税:引続き繰延経理を認めることとし、「長期前払消費税」として固定資産計上します。
⑥ リース資産・債務:一定の基準に該当する場合、売買取引に係る方法に準じて会計処理します。
⑦ 減損損失累計額:固定資産の減損を行う場合には、当該固定資産の帳簿価額から直接控除します。ただし、減損損失累計額を記載することも可能です。

改定前と改定後を示すと【図表1－11－1】のようになります。

(2) 損益計算書

損益計算書の会計基準の改定は以下のとおりです。

① 「長期前受金戻入」:減価償却に伴い「長期前受金」を収益化します。
② 棚卸資産:低価法による評価を行った場合に評価損を計上(営業費用)します。
③ 減損損失:固定資産の減損を行った場合に減損損失を計上(特別損失)します。
④ リース取引:リース資産の減価償却費を計上(営業費用)します。

改定後の損益計算書を示すと【図表1－11－2】のとおりです。

(3) 注　記

注記に記載する項目は以下のとおりです。

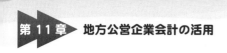

【図表 1-11-1】貸借対照表勘定科目の改定

＜改定前＞

資産	負債
1 固定資産	4 固定負債
2 流動資産	5 流動負債
3 繰延勘定	
・企業債発行差金	
・開発費	
・退職給与金	**資本**
・試験研究費	6 資本金
・災害損失	・借入資本金
・控除対象外消費税	7 剰余金
	・その他資本剰余金（償却資産の取得に伴う補助金等）

⇒

＜改定後＞

資産	負債
1 固定資産	4 固定負債
・長期前払消費税	・企業債、他会計借入金
・リース資産	・引当金
2 流動資産	・リース債務
3 繰延資産	5 流動負債
・事業法において計上を認められているもののみ（鉄道事業法）	・企業債、他会計借入金
	・引当金
	・リース債務
	6 繰延収益
	・長期前受金
	資本
	7 資本金
	8 剰余金

・重要な会計方針に係る事項（資産の評価基準及び評価方法、引当金の計上方法等）に関する注記
・予定キャッシュ・フロー計算書等に関する注記
・貸借対照表等に関する注記
・セグメント情報に関する注記
・減損損失に関する注記
・リース契約により使用する固定資産に関する注記
・重要な後発事象に関する注記
・その他の注記

4　主な会計処理の変更

(1) 借入資本金

① 借入資本金を負債に計上します。なお、1年以内に返済期限が到来する債務は、流動負債に分類します。

② 負債計上に当たり、建設又は改良等に充てられた企業債及び他会計長期借入金については、他の借入金と区分します。

③ 負債のうち、後年度一般会計負担分については、その旨注記します。

こうした観点からは、地方公営企業を地方公共団体から会計上は分離独立したものとみなし、一般会計等との負担区分ルールを踏まえつつ、料金収入等により負担すべき負債に関して、会計情報を通じて明らかにする必要があります。よって、借入資本金は、負債として整理することが適当です。

民間的企業経営は、経営活動の財源として自己資金と他人資金である借入金をバランスよく利用し、経営の効率性と規模等の両立を図るもので、地方公営企業も同様の考え方をとることが望ましいでしょう。

この場合に、見合いの実物資産が存在し、減価償却等により基本的に償還財源が確保されると想定される建設又は改良等に充てられた企業債と、退職手当債等の経常経費に対する資金手当的な企業債とを、明確に区分することによって賄うべき経費を測定します。すなわち、繰出ルールの合理性は、常に検討されるべきものなのです。

【図表 1-11-2】改定後の損益計算書

＜改定後＞

1 営業収益
2 営業費用
・資産減耗費
・減価償却費
3 営業外収益
・長期前受金戻入
4 営業外費用
5 特別利益
6 特別損失
・減損損失
当年度純利益
前年度繰越利益剰余金
当年度未処分利益剰余金

(2) 補助金等により取得した固定資産の償却制度等

① 任意適用が認められている「みなし償却制度」は廃止します。

② 償却資産の取得又は改良に伴い交付される補助金、一般会計負担金等については、「長期前受金」として負債（繰延収益）に計上した上で、減価償却見合い分を、順次収益化します。

③ 既取得資産に係る経過措置として、国庫補助事業等の単位毎に取得資産をグルーピングし、総合償却を行う等簡便な処理方法により移行処理できることとなっています。なお、簡便な処理方法によっても移行処理が困難と判断される場合には、従前どおりの取扱いによることができます。

④ 建設改良費に充てた企業債等に係る元金償還金に対する繰入金については、「長期前受金」として計上した上で、減価償却に伴って収益化することとします。ただし、各事業年度における減価償却額と当該繰入金との差額が重要でない場合は繰り入れた年度に全額を収益として計上することができることとなります。すなわち、フル償却（及び補助金等の年割額を毎期収益計上）とした場合のメリットは、以下のとおりです。

ア　損益計算上において、減価償却費をどのような財源（補助金か料金か、又はその割合）で賄ったかが明確になること。

イ　全事業がフル償却されるため、（他事業、他団体との）比較可能性の点で優れていること

ウ　資産価値の実態を適切に表示するものになること。

具体的には、資産を取得するために受けた補助金等を期間対応して繰り延べられる収益として取り扱う点に着目するとともに、当該補助金等が地方公営企業会計において経営判断上重要であることに鑑み、繰延収益として負債の部に「長期前受金」として計上するのです。これにより、貸借対照表上も財務構造の把握が容易になり、損益計算書上も厳密な費用収益の対応となって純損

益が明瞭化され経営採算性を測定でき、種々の有効な意思決定が可能となります。

⑶ 引当金

① 退職給付引当金の引当てを義務化します。

② 退職給付引当金の算定方法は、期末要支給額によることができます。

③ 一般会計と地方公営企業会計の負担区分を明確にした上で、地方公営企業会計負担職員について引当てを義務付けます。

④ 計上不足額については、適用時点での一括計上が原則。ただし、その経営状況に応じ、当該地方公営企業職員の退職までの平均残余勤務年数の範囲内（ただし、最長15年以内）での対応を可とします。なお、その内容は注記することになります。

⑤ 退職給付引当金以外の引当金についても、引当金の要件を踏まえ、計上するものとします（例：賞与引当金、修繕引当金）。

第12章 地方公共団体に対する公監査

1 地方公共団体に対する公監査の目的

地方公共団体に対する監査委員等の監査、すなわち公監査の実施目的と観点等に関する体系は【図表1−12−1】のとおりです。

監査の観点は、⑴行政活動の法規に準拠しているかの法規準拠性公監査、⑵行政活動の結果が正

【図表 1-12-1】地方公共団体の公監査の体系

<table>
<tr><th colspan="4" rowspan="2">監査の類型区分</th><th colspan="2">監査判断の基準及び測度</th><th rowspan="2">展開</th></tr>
<tr><th>測度の類型</th><th>主な測度又は指標</th></tr>
<tr><td rowspan="2">（1）
法規準拠性
公監査</td><td colspan="2" rowspan="2">広義の合法性
または準拠性
ないしは
法規準拠性監査</td><td>①狭義の
合法性監査</td><td colspan="2">法規違反行為・不正・濫用の摘発</td><td>第1段階</td></tr>
<tr><td>②合規性・
準拠性監査</td><td colspan="2">政策方針および予算の目的・手続・契約・
要件の妥当性・適切性の検証、
内部統制とガバナンスの有効性</td><td>第2段階</td></tr>
<tr><td rowspan="2">（2）
財務報告
公監査</td><td colspan="2" rowspan="2">正確性または
決算監査</td><td>③財務諸表
監査</td><td colspan="2">財務諸表の適正性・決算の正確性の検証</td><td>第3段階</td></tr>
<tr><td>④財務関連
監査</td><td colspan="2">予算・財務関連事項の正確性・妥当性の検証</td><td>第4段階</td></tr>
<tr><td rowspan="9">（3）
業績
（行政成果
・
3E～5E
・
VFM）
公監査</td><td colspan="2" rowspan="4">広義の効率性
または生産性
監査</td><td rowspan="2">⑤経済性監査</td><td>インプット測度</td><td>インプットコスト、作業量、
サービスニーズと量、
プログラムインプット</td><td rowspan="2">第5段階</td></tr>
<tr><td>アクティビティ
測度</td><td>サービス努力、活動プロセス、
資源の利用プロセス</td></tr>
<tr><td rowspan="2">⑥効率性監査</td><td>アウトプット測
度</td><td>提供財・サービスの質、
一定の質のサービス量、
アウトプットプロセス</td><td rowspan="2">第6段階</td></tr>
<tr><td>効率性測度</td><td>プログラム効率性、
ポリシー効率性</td></tr>
<tr><td rowspan="5">広義の
有効性
監査</td><td>狭義の
有効性
監査</td><td>⑦目的達成の
監査</td><td>有効性測度</td><td>プログラム有効性、
ポリシー有効性、
コスト有効性</td><td>第7段階</td></tr>
<tr><td rowspan="4">政策
評価
監査</td><td rowspan="2">⑧アウトカム
の監査</td><td>アウトカム測度</td><td>コストベネフィット、
コストアウトカム、
サービスの質</td><td rowspan="2">第8段階</td></tr>
<tr><td>インパクト測度
（影響度）</td><td>短期的インパクト、
長期的インパクト</td></tr>
<tr><td>⑨代替案の
監査</td><td>（説明測度）
代替案決定の条
件・プロセスの
評価</td><td>（説明・記述情報）
代替案の提示、
代替コースのレイアウト</td><td>第9段階</td></tr>
<tr><td>⑩価値判断の
監査</td><td>（説明測度）
政策の功罪・政
治的判断の評価</td><td>（説明・記述情報）
政策の根拠、政策目的の功罪、
意思決定プロセスの賢明性</td><td>第10段階</td></tr>
</table>

しく会計報告されているかの財務報告公監査、⑶行政活動が効率的・効果的に実行されたかの業績（行政成果）公監査の3つです。その内容はさらに図表内の①～⑩に区分されます。

なお、業績（行政成果）公監査の内容である⑤～⑩の監査類型では、同図表に示すとおり、多様な測度または指標が用いられます。これらの測度に求められる特質としては、⑴目的適合性、⑵有効性（有用性）、⑶反応性、⑷経済性（管理可能性）、⑸比較可能性、⑹明瞭性（理解可能性）、⑺互換性、⑻接近可能性、⑼包括性、⑽精選性、⑾正確性、⑿信頼性、⒀ユニーク性、⒁適時性、⒂完全性、があります。

2　行政成果の目標管理システムの監査

ここでは、行政成果（求める業績）の法的根拠、達成するための行政府内部の管理システム、行政評価の判定指標、行政評価を示す証拠等について検証します。特に、行政評価を効果的に実行できるようにするためには、行政活動の目標値が数値化されていなければならず、これを指標とか尺度と呼んでいます。各行政活動の事業ごと・施設ごとに目標値が設定され、これに対してどれほど達成できたかを各部署がまず評価し、その評価が妥当・適正であるかを監査します。その際、評価の根拠すなわち証拠が各部署で用意されていなければなりません（**【図表1－12－2】**）。

3　行政成果目標達成の実行プロセスの監査

ここでは、行政庁内部で行政成果を達成するための計画やその具体的な実施プロセス、結果報告

【図表 1-12-2】行政の目標管理（マネジメント）の進め方の監査

<table>
<tr><td colspan="3">（ステージ1）業績方針の法的根拠の確証化の段階</td></tr>
<tr><td>1</td><td colspan="2">首長マニュフェストの有無</td></tr>
<tr><td>2</td><td colspan="2">立法府の政策決定方針（達成目標）の明確化</td></tr>
<tr><td>3</td><td colspan="2">業績目標管理方針の明確化</td></tr>
<tr><td>4</td><td colspan="2">根拠条文（法規準拠性）</td></tr>
<tr><td colspan="3">（ステージ2）目標達成の管理システムと具体的な指標・コスト指標の確証化の段階</td></tr>
<tr><td>5</td><td colspan="2">目標業績管理システムの確証</td></tr>
<tr><td rowspan="7">6</td><td rowspan="7">目標業績測度・指標</td><td>(1)経済性</td></tr>
<tr><td>(2)効率性</td></tr>
<tr><td>(3)有効性（結果＝output）</td></tr>
<tr><td>(4)有効性（成果＝outcome）</td></tr>
<tr><td>(5)有効性（代替案、代替コースのレイアウト）</td></tr>
<tr><td>(6)公平性・倫理性</td></tr>
<tr><td>(7)短・中･長期インパクト</td></tr>
<tr><td>7</td><td colspan="2">ベンチマーク・標準（スタンダート゛）指標（クリアリングハウス化）</td></tr>
<tr><td>8</td><td colspan="2">コスト指標（フルコスト、共通原価の配分）</td></tr>
<tr><td>9</td><td colspan="2">コスト効率性・有効性</td></tr>
<tr><td>10</td><td colspan="2">業績意図の確認</td></tr>
<tr><td>11</td><td colspan="2">業績準拠性・評価の重要性水準</td></tr>
<tr><td>12</td><td colspan="2">測度・指標の妥当性・適切性水準</td></tr>
<tr><td>13</td><td colspan="2">測度・指標の事前監査手続</td></tr>
<tr><td colspan="3">（ステージ3）業績公監査証拠の説得性・理論性の確証化の段階</td></tr>
<tr><td>14</td><td colspan="2">業績証拠の証明力・立証性</td></tr>
<tr><td colspan="3">（ステージ4）目標業績の法的根拠の確証化の段階</td></tr>
<tr><td>15</td><td colspan="2">業績の法規準拠性</td></tr>
<tr><td>16</td><td colspan="2">業績計画・実施・報告・ﾌｫﾛｰｱｯﾌﾟの法規準拠性</td></tr>
</table>

のわかりやすさと正確性、行政庁のリスクへの対応の妥当性を含めて検証します。

監査においては、行政目標達成のため行政活動の計画設定・予算額の積上げ、具体的な行政活動の進め方、スケジュールの立て方、行政活動の結果の測定方法や評価プロセス、行政活動の業績報告書の作成方法や内容の妥当性を検証していきます（【図表1－12－3】）。

【図表 1-12-3】行政の目標達成へ向けた進め方のプロセスの監査

（ステージ5）目標業績達成の実行計画―実施過程―評価過程―報告書作成過程の確証化の段階	
17	業績（行政）成果計画書の作成の有無
18	目標実施プロセス（工程表）の公表の有無
19	業績（行政）成果測定プロセス（マニュアル）設定の有無
20	業績（行政）成果評価プロセス（PDCA）設定の有無
21	業績（行政成果）報告書（年次）の公表の有無
22	プログラム環境、オペレーション環境の評定
23	政策決定過程の報告書の公表の有無
24	業績成果指標の重要性水準の明示
（ステージ6）行政側の業績管理統制リスクへの対応の確証化の段階	
25	マネジメントリスクの認識（業績管理統制）水準
26	リスク低減対応策の明確化

4　行政成果の達成度の監査

ここでは、行政成果の測定、測定指標の妥当性、行政成果結果の正しい報告、行政活動の事前・継続中・事後にわたってのプロセス、行政成果の評価の妥当性を検証します。

監査委員等の監査人は、行政結果を事業の事前段階・継続中段階・事後段階のすべてについて、3E（経済性・効率性・有効性）の観点で監査し評価します。その際に、監査証拠や監査手続を選択して適用して、監査人の意見をまとめているのです（【図表1－12－4】）。

5　行政成果の結果への行政庁の対応の監査

ここでは、監査委員や監査人の適格性、監査実施における品

【図表 1-12-4】行政成果の 3E 評価の手段の監査

（ステージ7）公監査対象業績の特定化と対応の監査手続・収集すべき証拠資料の確証化の段階		
27	業績成果報告書の公監査の目的（objectives）の設定	
28	目的水準の予備調査	
29	業績公監査目的の公共の利益性の評価	
30	組織的公監査手続の実施体制	
31	業績公監査技術・手続の開発体制	
32	業績公監査手続・証拠	①効率性(経済性)の検証（インプット・アウトプット）
		②有効性の検証（アウトカム、インフルエンス）
		③公平性・倫理性の検証
		④コスト効率性・有効性の検証（機会費用）
		⑤フル・ネット・トータルコストの識別と算定根拠
		⑥代替コースのレイアウトの明確化
		⑦適用プロセスの明確化
33	業績成果報告書作成マニュアルの検証	
34	業績公監査手続上の留意点の明確化	
35	業績公監査の事前・継続中・事後的適用の合理性	
36	業績公監査の証拠の合理性・説得性の判定	
37	業績成果の包括的評価	
（ステージ8）業績公監査報告書の作成・審査プロセスの確証化の段階		
38	業績公監査報告（利用者・利用目的）の作成プロセス	
39	業績公監査非準拠性報告の明示	
40	業績公監査報告書の保証水準の明示	
41	業績公監査報告書の限界表示	
42	業績公監査の建設的勧告事項の明確化	
43	業績公監査意見の説明の論理性・説得性	
44	政策の功罪、価値判断の境界基準の明確性	
（ステージ9）業績公監査による非準拠性結果の報告の確証化の段階		
45	行政府の措置状況（改善勧告）	
46	結果公表の有無	

【図表 1-12-5】行政成果の結果の庁内での使い方の監査

（ステージ 10）公監査人の独立性・適格性の確証化の段階		
47	公監査人の適格性	独立性の判定
		適格性の判定
48	他の専門家の利用の妥当性	
49	公監査人の業績公監査の正当な注意の評価	
（ステージ 11）公監査の QC プロセスの確証化の段階		
50	品質管理（内部・外部 QC）プロセスの妥当性	
（ステージ 12）立法府の処置の確証化の段階		
51	立法府の審議（決算・予算）・措置状況の評定	
（ステージ 13）業績公監査の結果による財務・財源システムの確証化の段階		
52	財務管理システム（財源・財務）設定の評定	
（ステージ 14）事後的評価・格付の確証化の段階		
53	評価・格付の有無とその評定	
（ステージ 15）業績公監査結果に対するインセンティブ付与及び責任の確証化の段階		
54	インセンティブの妥当性／責任の明確化の妥当性	
55	ペナルティの履行の合法性・準拠性	

質の管理、議会人への監査報告の妥当性、行政成果結果の行政庁内部での対応が検証されます。

監査の進め方の品質管理や妥当性、結果の庁内での活用すなわち成果の評価、これらに基づくインセンティブの付与やペナルティの賦課のような政策の進め方を、監査人自ら、監査部署外部からの評価として行うことによって監査の効果もプラスとなります（【図表1－12－5】）。

【第一部　参考文献】

鈴木豊編著『自治体経営監査マニュアル』ぎょうせい　2014年4月

鈴木豊著『新地方公会計統一基準の完全解説』中央経済社　2016年5月

鈴木豊・山本清編著『実例　新地方公会計統一基準と財務書類の活用』中央経済社　2020年1月

第二部

公会計情報に
関する議会審議での
活用の視点

第1章　議会活動に財務情報をどのように活用するか？

1　自治体の直面する課題

　本書の読者の多くは自治体の議員の方ですので、人口減少社会への対応と経済活性化及び地球環境の変化に伴う地域防災等の課題に基礎自治体のレベルで取り組まれていると思います。人口減少は出生数の低下と同時に高齢者人口の増加を伴いますから、自治体の経済活動及び税収の基礎となる就業者数の減少と社会福祉の対象者の増加、つまり、自治体の行政サービスの増加をもたらします。そのことは、少ない税負担者で多くの住民ニーズを賄うことを意味しますから、働く現役世代の負担能力を超えないような税収等で住民サービスを実施しなければなりません。もちろん、税負担が増えても稼ぎがそれ以上多くなれば負担は可能ですし、同じ負担で行政の生産性を向上させて住民ニーズに対応する戦略も可能でしょう。それには、地域経済の活性化や自治体の生産性向上のイノベーションを実現しなければなりません。第二期に入った地方創生計画は、その目標と戦略を定めたものと理解できます。

　しかし、今や地域の生活は、地球環境変化やその背後にあるグローバル化の影響を免れることはできなくなっています。近年の甚大な台風や豪雨あるいは猛暑等は、従来の安全基準で作られた河川や下水道などの施設では安全性を確保できず甚大な被害を及ぼす危険性があることがわかってきました。このことは、人口減少で施設の需要も減少するから自治体のストックの減量化を行うことも求められますが、同時に、新たな災害を予測して対応する必要性を教えます。たとえば、10年に一度の降雨に対応する河川で整備していたものを30年あるいは50年に一度の降雨を安全に流下させるか（具体的には時間50ミリメートルの計画降雨を75ミリメートルにあげるとか）、住民の居住区域を移転させるかなどの対策を立てねばならないことです。グローバル化は外国人の観光需要の他、農産物などの輸出や外国とのサプライチェーンを通じた地域産業の国際経済状況との連動あるいは新型コロナウイルス等の感染症による経済活動の停滞等、都市部や地方部を問わず影響度を高めています。環境変化を見通し、行政サービスの水準と住民の負担がバランスするかを検討するのが議会審議の基本1です。

2　議会の役割

自治体の議員は、地域住民の代表であり、都道府県や市町村の首長と異なり、多様な住民の意思を反映することに特色があります。法制度的には自治体は「地方公共団体」と呼ばれ、地方公共団体は議会と首長から構成される法人です。そして、議会は地方公共団体の議事機関（憲法93条第1項）です。周知のように国の統治機構と異なり、地方公共団体は首長と議会の二元代表制を採用しており、議会の与党が内閣を構成し政策を執行する構造とは異なります（【図表2－1－1】参照）。首長は執行機関であり、議案を議会に提案し議会で審議・決定して執行します。また、議会は決定した事項の執行を監視します。その意味で首長と議会はチェックアンドバランスの関係にあります。

ここで忘れてならないのは、住民への行政サービスの提供と住民の納税などは、私的財のようにある特定の財を取得する、あるいは、サービスを利用する対価として支払いをするという、交換関係に

【図表 2-1-1】地方公共団体の議会と首長及び住民との関係

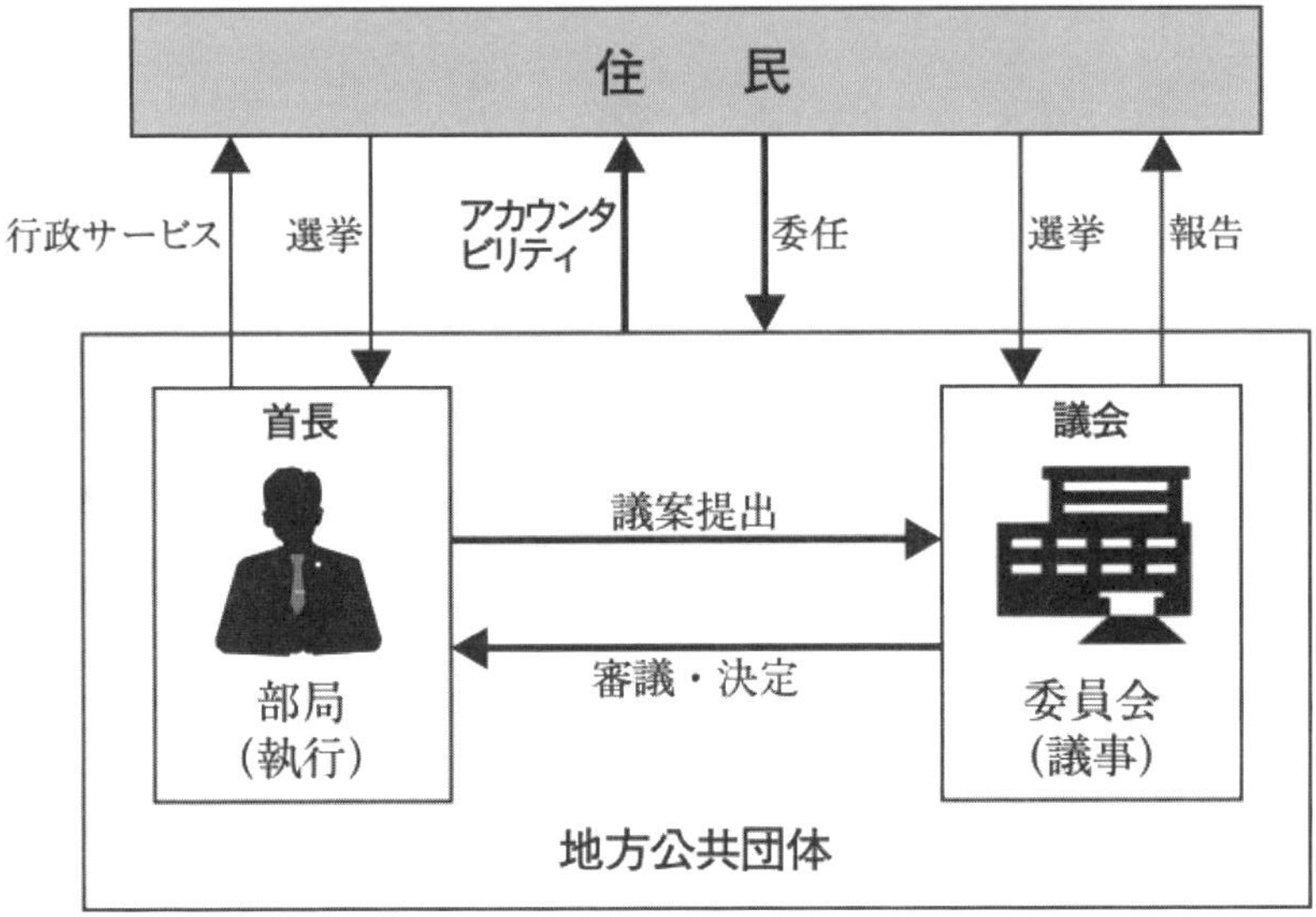

ないことです。乗用車の購入者は占有し、自分や家族のため自由に利用できます。これに対し、河川や公園は、洪水からの防御や運動・余暇という価値への料金を地域流域の住民だけが支払うのでなく、誰でも原則として無料で利用できます。いわゆる消費の集団性（他の人が利用しても効用が低下しない）と非排除性（特定の利用を排除できない）というものです。もちろん、これを可能にするため、何を行政サービスとして供給するか、どのような使途に振り向けるか及びその財源をどのように確保するかを事前に合意して決定しておく必要があります。先に財源と使途が決まっているので、実際の行政サービスの提供時に、住民はそのつど対価を支払う必要はありません。

　そして、その必要な財源は徴税行為などにより住民から徴収されます。個々の住民のニーズは多様で全ての要望を満たすには財源が不足しますし、国から法定受託事項などとして義務付けられている業務もありますから、何を実施し、何をしないかという悩ましい決定をしなければなりません。それを審議し決定するのが議会の役割ですので、議員間の議論を通じて多様な意見と利害を調整する民主主義の機関としてきわめて重要です。住民の意思を踏まえて決定がなされ、意図した政策の執行がなされたかについては、事後的に行政活動全体の包括的な報告が必要です。

【図表2－1－1】の「アカウンタビリティ」は住民から決定及び執行を「委任」された法人が負う責任です。説明責任と称されることも多いのですが、単なる説明を超えた納得性と懲罰可能性を含む法制度全体をつらぬく基本原理です。個々のサービス提供時に判断できる市場での取引（受益と負担が一致する）と異なります。自治体が提供する行政サービスのすべてを受けている住民（受益者）はほとんどいないでしょうし、負担者と受益者が異なるからです。教育サービスも介護サービスも子育て支援も受けている場合は少ないのです。

実は、自治体の議員は行政活動の全体を最もよく把握できる地位にいます。したがって、その活動の総体と配分及び財源・負担を議論し、首長部局からの議案を審議する際の内容の理解と合理的な判断は住民の代表者の任務遂行で必須といえます。予算書や決算書は予算審議や決算審査及び執行調査で基本となる文書・計算書類です。その専門用語の習得は当然必要ですが、より的確で合理的かつ民主的な決定をするには、現行制度の現金主義による財務情報と定員及び財産・負債台帳により区分された管理制度には限界があります。そのことを「資源」という概念を用いて説明しましょう。資源とは経済的に価値ある有用な財のことを意味します。したがって、資金等の財務的資源（カネ）だけでなく、道路などのインフラ資産の物理的資源（モノ）があります。

また、職員などの人的資源（ヒト）を含めることも可能です（ヒトを所有することは民主制では認められていません。もっとも奴隷制はヒトをモノと扱い減価償却をしていました）。そして、資源の消費がコスト（費用）です。財務的資源ならば、その消費、つまり、貨幣の支出がコストになり、物理的資源ならば、施設などの消費は、その価値・効用の減少（いわゆる減価償却費）がコストになります。人的資源の消費は、職員などの特定の目的に労力を振り向けることで人件費というコストが発生します。また、財務的資源の取得は税収が典型例ですし、建物などの資産の取得は物理的資源の増加と支払いが現金ならば財務的資源の減少を伴います。資源調達と使途を決定し、その執行を監視する責務を認識するのが議会審議の基本２です。

３　資源管理としての財務情報

したがって、資源に着目すると、カネの変動（増加と減少）・残高だけでなく、モノとヒトの変動・残高についても資源のフローとストックを追跡し統一的に記録管理することが可能になります。現行制度では、カネ、モノ、ヒトの３つの種類の資源は自治体の行政で別個の尺度や管理方法で統制することになっています（**【図表２―１―２】**参照）ので、資源全体としてのストックとフローにわたる管理には適合していません。施設を取得した時に支出すれば歳出としてコストに現れ、ストックとしての資産は公有財産台帳に記載され、供用中は維持管理費のみがコスト（支出）として認識されます。同様に、職員の雇用も給与などの支払い時に人件費としてコストに現れますが、退職金を支払われるまでは予算・決算にコストとして示されません。

【図表 2-1-2】資源とヒト・モノ・カネの関係

	ヒト	モノ	カネ	全資源
尺度	人	物理量	貨幣	貨幣
測定方法	人数・人日	面積・延長等	現金主義・発生主義	発生主義
管理制度	定員管理 給与管理 職種管理	台帳管理	予算書 決算書 財務報告* （公会計）	予算書 決算書 財務報告* 業績測定* 統合報告*

* 法定の制度ではない。

しかし、ヒトを雇用すれば退職給与債務は勤務とともに生じており負のストックとして認識しておくことは資源管理として必要です。ヒトとカネの関係は、外部委託や指定管理者制度の導入により既に人件費から物件費の移動が生まれており、職員定員や人件費の管理のみではヒトの削減になってもカネの消費の低下にならない可能性を知っておかねばなりません。また、施設の保有に替えて賃貸とか近年のＰＦＩ／ＰＰＰの活用では、施設を長期的に割賦購入するような形態（財源が地方債としても）でありモノのストックがフローとして現れており、ストックとフローの両面から資源管理の意思決定をすることが求められています。

より具体的な例で考えましょう。多くの自治体で課題になっているのは、道路・水道などの生活基盤となっているインフラ・施設の更新・管理をどうするかです。人口減少で利用量も減るのは予想されますが、通勤や通学・通院への道路網や生活に必須な衛生的な水の確保は健康で文化的な生活を保障する観点からなくすわけにはいきません。現状の広範囲にまたがるネットワーク維持を減少する人口（利用者）で整備費と管理費を賄うには、一人当たりの負担を増やすか、施設の整備・管理方法の抜本的な見直しか、ネットワーク自体を再編して中

【図表 2-1-3】議会の権限・能力と機能

		権限	
		積極的行使	消極的行使
能力	高い	○	△
	低い	△	×

注：○は機能発揮、△は不十分、×は機能せず。

心部への居住区域の集約化（防災対策としても効果が見込まれる）などを検討する必要があります。

この場合、一人当たり負担（税・使用料を問わず）を推計して比較検討することが求められます。このうち施設は物理的資源であり、更新整備は取得時のストックとして認識され、その維持管理はフローで毎年度コストとして発生するものです。いずれも、現行制度では支出となり、区分されません。道路網維持の代替案がネットワークの集約化と代行交通の併用であれば、前者は集約化後の整備費（ストック）と維持管理費（フロー）、後者は運行委託費（フロー）になります。これを現状維持の整備費と維持管理費と比較しようとすれば、代替案と現状維持案を同じ尺度で測定する必要があり、それを可能にするのは毎年度の資源消費としていくらになるのかを算定しなければなりません。

統一的な基準による財務書類は資源に焦点をおいた発生主義による測定をフローとストックの両面から行うものですから、議会での首長部局からの議案の審議で的確な判断資料になります。しばしば、公的部門は企業と異なるから企業会計方式の導入は意義がないという批判があります。しかし、公会計の整備は議会側で審議・決定するのに役立つ装置が増えることですので民主的統制にも有益なことを理解しておかねばなりません。

国会と違い、地方議会には予算・決算以外に契約や資産取得・処分等について審議・承認する権限を有しますので、首長部局への監視や法人としての地方公共団体の決定及び住民へのアカウンタビリティを適切に履行するうえで有効活用が期待されています。議員が財務情報を積極的に活用する姿勢と情報を読み解き利用する能力を持つことが議会審議の基本３です（【図表２−１−３】参照）。

次章以降、具体的な議会での活用方策等について解説します。

第２章　財務書類の作成状況と目的に関する議会審議の活用

１　はじめに

地方公共団体は、「統一的基準」によって財務書類を作成し、より一層の透明化と見える化をはかり、その作成した財務書類を活用していかなければなりません。

以下では、市町村議員の方々にとってなかなか理解が得にくい地方公会計改革のポイント、事例、さらに市町村議員の方が行政側に対しての質問案を掲載しています。

２　財務書類の作成状況

(1)ポイント

総務省は、全国の地方公共団体が統一基準によって財務書類が整備されたかを調査しています。現時点では、令和元年６月７日で公表した「統一的な基準による財務書類の整備状況等調査（平成31年

【図表 2-2-1】一般会計等財務書類の作成状況

（単位：団体）

作成状況	都道府県		市区町村		指定都市		指定都市除く市区町村		合計	
作成済み	44	(93.6%)	1,651	(94.8%)	20	(100.0%)	1,631	(94.8%)	1,695	(94.8%)
作成中	3	(6.4%)	90	(5.2%)	0	(0.0%)	90	(5.2%)	93	(5.2%)
合計	47	(100.0%)	1,741	(100.0%)	20	(100.0%)	1,721	(100.0%)	1,788	(100.0%)

総務省 統一的な基準による財務書類の整備状況等調査（平成 31 年 3 月 31 日時点）より抜粋

3月31日時点）」が公表されており、全国地方公共団体の1695団体（全団体の94・8％）が作成済みとのことです（【図表2－2－1】参照）。

そのため、それぞれの市町村の作成状況を問うことが考えられます。市町村を含む、全ての地方公共団体で、統一的基準に基づく財務書類が出揃うことによってはじめて、各地方公共団体それぞれが、財政をどのように説明し、議会審議や予算編成で活用していくか、各地方公共団体の姿勢が問われることができるのです。

⑵地方財政の見える化

統一的基準によって財務書類等が作成されることで、借金や将来の負担額、土地や建物の資産などの全体が把握できるとともに、他市との比較が可能となります。この「財政の見える化」により、ムダの削減や行財政の効率化がしやすくなります。

単に、予算や財務書類の開示、財政情報や関連データ等の公表だけではなく、地方財政に関心のない住民にも、財政問題を認識してもらい、自分事として捉えてもらうことがなによりも重要です。そのため、財政状況の経年比較など分析・グラフ表示機能の強化拡充を図っていくことがまずは求められます。

【図表 2-2-2】比較可能な様式による「見える化」イメージ

① 財務書類の概要

平成28年度 財務書類に関する情報①

団体名 〇〇県〇〇市

団体コード XXXXXX

附属明細書・注記・固定資産台帳の公表状況		
附属明細書	注記	固定資産台帳

1. 資産・負債の状況

（単位：百万円）

		平成26年度	平成27年度	平成28年度
一般会計等	資産	80,000	90,000	100,000
	負債	30,000	40,000	50,000
全体	資産	130,000	140,000	150,000
	負債	40,000	50,000	60,000
連結	資産	150,000	160,000	170,000
	負債	50,000	60,000	70,000

2. 行政コストの状況
3. 純資産変動の状況
4. 資金収支の状況
も同様に公表

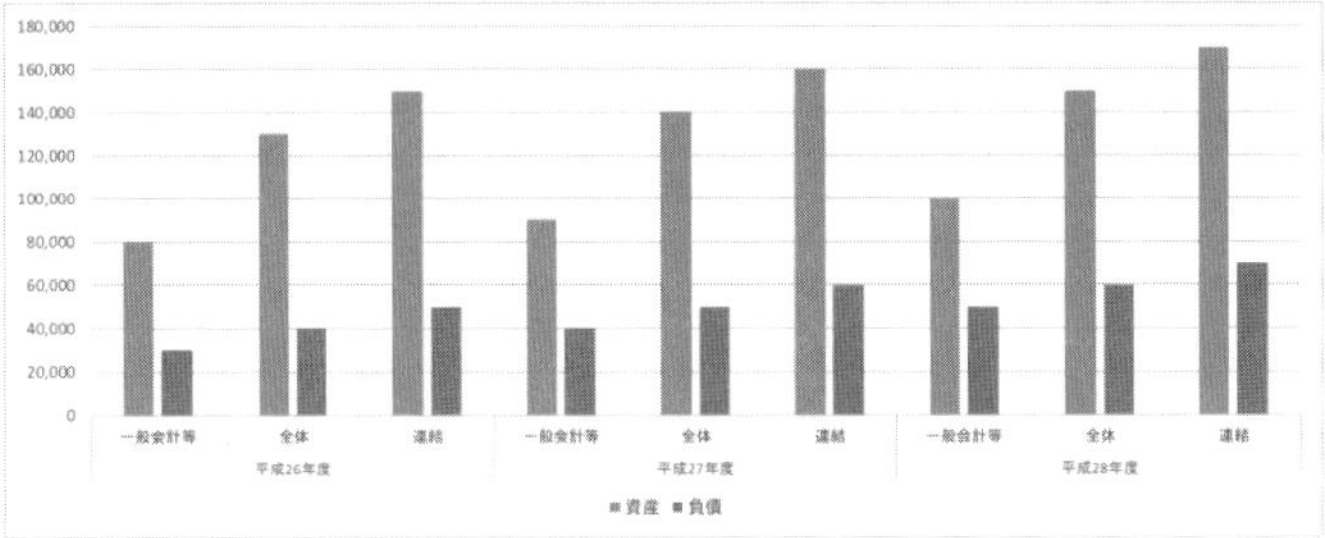

各団体による分析コメントを記載

② 地方公会計に係る指標

平成28年度 財務書類に関する情報②（一般会計等に係る指標）

1. 資産の状況

①住民一人当たり資産額（万円）

	平成26年度	平成27年度	平成28年度
資産合計	8,000,000	9,000,000	10,000,000
人口	75,000	74,000	73,000
当該値	106.7	121.6	137.0
類似団体平均値	100.0	105.0	98.0

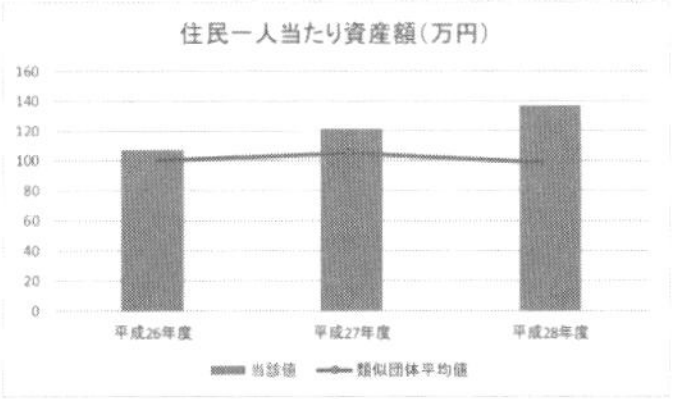

各団体による分析コメントを記載

②歳入額対資産比率
③有形固定資産減価償却率
2.資産と負債の比率
④純資産比率
⑤将来世代負担比率
3.行政コストの状況
⑥住民一人あたり行政コスト
4.負債の状況
⑦住民一人あたり負債額
⑧基礎的財政収支（プライマリーバランス）
5.受益者負担の状況
⑨受益者負担比率　　も同様に公表

③ 財務書類等の詳細

・統一的な基準による財務書類の各勘定科目の金額及び指標の数値を一覧化

➡ 各地方公共団体の財務書類等の情報を集約し、比較可能な形で開示するとともに、各地方公共団体が経年比較や類似団体間比較等により分析することによって、財政運営上の課題をより明確化

総務省・「地方公会計の推進に関する研究会」概要より抜粋

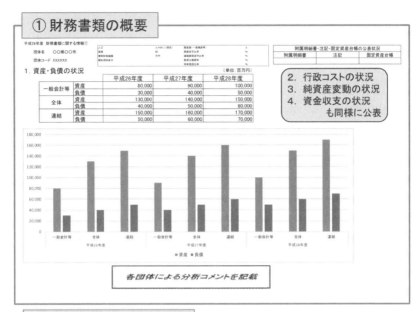

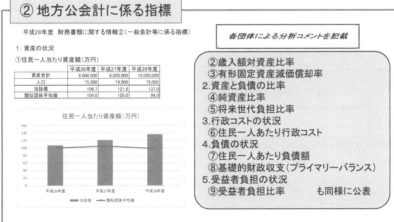

例えば、東京都町田市や江戸川区、更には総務省・「地方公会計の推進に関する研究会」にて取り上げられた東京都中野区、愛知県日進市、滋賀県長浜市、佐賀県唐津市、鹿児島県和泊町などでは、施設や事業ごとに財務書類を作成し、身近な行政サービスにどれだけのコストがかかっているかを住民に示しています（**【図表2－2－2】**参照）。そのような「財政の見える化」によって、税金がどこにどう使われているかがわかりやすくなり、何が無駄なのかを正しく議論する出発点に立つことができます。

(3)質問案

Q．「財政の見える化」として、地方公会計改革が求められているそうですが、当市ではどのような取組みをしていますか。

Q．すべての地方公共団体において統一的基準により財務書類作成をしなければならないそうですが、現在の当市の作成状況はどのようなものですか。また、今後、どのように活用していく方針ですか。

Q．行政職員は、財政的困難と改革の必要性を正確に理解していますか。地方公会計の財務書類の作成と活用に関して、職員の意識改革や人材育成についてどのように取組んでいますか。

Q．地方公会計の財務書類をもとに各種の指標を算定した結果、効率的な行政運営となっているのですか。将来的に指標をどのように改善していくつもりですか。

Q．当市の財務書類から現在の財政状況をどのように評価していますか。

３　財務書類の作成目的

⑴ポイント

地方分権や資産負債改革と地方公共団体の会計制度改革の議論は深く結びついています。地方分権により各地方公共団体の権限と職務が増大することに伴い、住民から徴収した税金がどのように使われたのかについて、これまで以上に住民に説明し理解を求めることが必要です。行政が十分に住民へ説明をしないのならば、それは十分な住民サービスを提供しているとはいえないでしょう。

また、住民が、理解可能な財務書類を公表しなければなりません。

住民の「タックスペイヤー」としての意識を高め、行政側は、税金の使い道、予算執行の結果に関する情報提供をしっかりとする必要があります。その際、行政側だけが理解できる道具を用いるのではなく、住民に納得してもらえる道具としての新たな統一的基準による財務書類が有用となります。統一的な財務書類により他市町村との比較も容易になります。それは決して、難解で専門的な用語の羅列ではいけません。お金、税金、財政に関して積極的に議員が質問することで、行政執行の透明性を確保し、住民参加型の地方公共団体作り、住民重視の地方公共団体の運営を実現することは、民主主義の根幹といえるでしょう。

⑵地方行政のスリム化

北海道夕張市は、財政破綻により、２００７年に財政再建団体（２００７年３月に地方財政再建促進特別措置法に基づく財政再建団体に移行し、２０１０年３月からは地方公共団体財政健全化法に基づく財政再生団体に移行）となり、事実上国の管理下に置かれ、職員給与削減、施設の統廃合・休廃止、一方で、住民税・固定資産税、施設や下水道等の使用料・手数料などは引き上げられました。その後、「夕張市の再生方策に関する検討委員会」により、たとえ緊縮財政による財政再建下であっても地域再生の視点を持ち、これからの時代に必要とされる投資を続けることが重要とされ新たな取組みがなされています。しかし、今なお、夕張市は財政再建へ向けて地方行政のスリム化に取り組み続けているところです。

千葉県富津《ふっつ》市は、2014年当時、財政破綻が懸念されたものの、その後、第三者機関「富津市経営改革会議」のアドバイスを受けながら、多くの取組みがなされました。その結果、現在の財政状況は、財政調整基金も一定程度有しているため、財政再生団体に転落する恐れはないとされています。しかし、今なお、更なる一層の地方行政のスリム化の途上にあるようです（富津市経営改革会議設置条例は2019年4月に施行されています）。

(3)質問の事例

Q．地方分権が推進され、各自治体の権限が拡大することと、地方公共団体の統一的財務書類の作成や活用の議論とはまったく関係ないのではないですか。

Q．地方行政のスリム化が求められ、地方公共団体の職務が増大している中、行政側は手が回らないと思います。地方公共団体の変革において、優先順位は高い業務なのですか。

Q．行政改革によって、地方自治体ごとの行政経営の力量が問われるのであれば、統一的な財務書類によらず、それぞれの自治体ごとの経営方針や自治体の個々の事情に任せて、別々に独自のものでもよいのではないですか。

Q．財務書類によってどのように行政の無駄を削減したのですか。統廃合や廃止した事業、公共施設の整備等にはどのように役立ったのですか。
Q．財務書類によって、人件費の削減や受益者負担の増大など、当市では具体的にどのように役立てていくのですか。

4　発生主義会計

⑴ポイント

過去、地方公共団体は、資産及び負債の管理について、単年度の予算編成に比較して重要視されてこなかったといえます。その結果、地方公共団体の財政運営では、「箱もの行政」や「予算のばらまき」と批判されていました。そこで、将来にわたる持続的な地方公共団体の運営を行うためにも、地方公共団体のお金の流れを、例えば、固定資産の購入・運営・管理・売却・廃棄の長期スパンでライフサイクルコストを削減しつつ、住民の求めるサービスを充実する観点で把握し改善していくことが必要となりました。その結果、財務書類の在り方を見直すこととなったのです。

その際、企業会計で一般に採用されている方法、いわゆる「発生主義」が、用いられることとなりました。組織的にも存在目的からも、地方公共団体の会計に企業会計は、馴染まないであろうと長らく言われていました。しかし、これまで使われた税金がどのような形で資産となり、これまで執行された行政運営についてどれくらい債務を負っているのかという視点は重要です。

一般の住民にとっても、住宅を購入するのに、財源に制限があれば銀行からローンを借りて購入し、購入時の価格にプラスして毎年維持費がかかるのは十分理解できます。財政状況についてわかりやすく理解できるように説明してもらい、議会で十分に審議し、そして住民に明瞭かつ簡潔に公表する必要があるのです。もちろん発生主義の導入ですべてを解決するわけではありませんが、地方公共団体の中・長期的な財政問題を明らかにするひとつの可能性のあるツールであると理解も現在は進んだことで、議会における審議の活用の必要性もより高まったのです。

⑵適切な資産管理

将来の施設更新に必要な金額の推計に並んで有用とされるのが未収債権の徴収です。未収債権全体を貸借対照表上の回収見込額を基にして把握が可能となり、その後の債権回収のための全庁的な組織体制の検討や強化に地方公会計が役立ちました。

地方公共団体にとって、未収債権は、将来、現金化され資金流入をもたらす資産です。多くの地方公共団体では、税、介護保険料、住宅使用料、水道料金等と部署が異なっていたところ、適切な資産管理と滞納管理、債権回収事務の効率化に役立ちました。総務省ウェブサイト「地方公会計に関する取組事例集では、千葉県習志野市の事例」が掲載されています（**【図表2－2－3】**参照）。

また、総務省のウェブサイトには、「公金債権回収業務における試行自治体の実施結果について」や「公金債権回収業務における事例集」があり、茨城県稲敷市、佐賀県伊万里市、埼玉県北本市、千葉県千葉市、兵庫県姫路市、大阪府八尾市、神奈川県湯河原町など多くの地方公共団体の債権回収に取り組んでいる様子がうかがえます。

【図表 2-2-3】総務省の地方公会計に関する取組み事例集（千葉県習志野市）

適切な資産管理（未収債権の徴収体制の強化）

【事例】未収債権の徴収体制の強化（千葉県習志野市）

背景・目的

○ 未収債権の種類毎に担当課が分かれる中で、全庁統一的な基準による徴収手続きが実施されていなかった。
○ 貸借対照表で市全体の債権額が改めて明らかとなり、未収債権の徴収体制の強化の必要性が認識されるようになった。

事例概要

○ 貸借対照表で市全体の債権額が改めて明らかとなり、未収債権の徴収体制の強化が行われた。

平成24年度貸借対照表（単体）

【資産の部】（円）

債権	8,232,286,996
税等未収金	2,842,684,333
未収金	1,108,896,584
貸付金	4,544,682,918
その他の債権	6,675,480
貸倒引当金	▲270,652,319

※「平成24年度公会計白書(資料編)」に債権の種類毎の担当課作成資料を掲載

✓ 貸倒引当金を控除しても債権が82億円余りも存在している。
✓ その内訳は、市税、介護保険料、市営住宅使用料、給食費等、複数の担当課にまたがっている。

全庁的な取組体制の構築

① 債権管理条例の制定（H25.4.1）
➤ 全庁における債権管理の適正化、統一的な徴収手続きについて規定

② 債権管理課の設置（H25.4.1）
➤ 当該課において徴収困難事案を集中処理

③ 債権管理連絡会議の設置（H26.9.1）
➤ 関係各課における徴収の取組についての情報共有や連絡体制の構築

効果等

○ 貸借対照表によって市全体の債権額が「見える化」されたことを契機として、未収債権の徴収体制が強化された。
○ 貸倒引当金が財務書類に記載されることで、控除後の債権額が最低徴収目標となり、職員の取組意識が向上している。

総務省ウェブサイト・地方公会計に関する取組み事例集より

(3) 質問の事例

Q・行政と企業は事業内容や目的がそもそも異なり、企業会計の手法のすべてが行政になじむものなのではない、地方公共団体の資産や負債管理は予算編成に比較してあまり重要性がない、という意見もあります。行政側はどのように理解して、統一基準に基づく財務書類を作成しているのでしょうか。

Q・内部管理目的で予算が大変重要であるとされてきました。いま行われている内部管理や予算のどこが問題なのでしょうか。財務書類の作成方法とは関係ないのでしょうか。

Q・行政執行は、これまでも膨大な資料を作成し、議会での説明や、住民向けの広報誌での説明などが行われるなど、報告制度が確立しています。これ以上充実させるのは負担が重く、イヤだと思っていませんか。

Q・予算が議会で承認されてそれを執行するの

が行政側の仕事であるので、決算と予算が乖離することは想定されないため、決算情報には重要性がなく、公表することにも意味はないという意見もありますが、どのように考えますか。

Q．「現金主義」とか「発生主義」といわれても、何の違いがあるのかそもそもわかりませんので、教えてほしいのですが。住民もわからない方も多いのではないでしょうか。

Q．コスト計算が必要といっても、実際は財政規律のほうが重要ではないでしょうか。

市町村議員の方は、地方公会計改革について不明な点を行政側に対して遠慮なく、時には厳しい質問、あえて難しい質問、否定的な質問、予想外の質問をしていただきたいものです。地方公会計改革の議論が活発になることを期待しています。

第3章　貸借対照表・固定資産台帳を用いた「自治体財産の老朽化対策・更新計画」に関する議会審議の具体的事例

1　はじめに

この章では主に地方公共団体が保有する財産（新地方公会計では有形固定資産という呼び方です）の管理、整備・更新に視点を置いて説明します。

2　固定資産台帳の整備状況と保有資産に関する公会計の活用状況等

総務省の調査[1]によると、前章の『財務書類の作成状況』と同様、２０２０（令和２）年3月31日時

【図表 2-3-1】固定資産台帳の整備状況 〔2020 年（令和 2 年）3月31日〕

整備（更新）状況	都道府県	市区町村	指定都市	指定都市除く市区町村	合計
整備（更新）済み	43 (91.5%)	1,442 (82.8%)	19 (95.0%)	1,423 (82.7%)	1,485 (83.1%)
整備（更新）中	4 (8.5%)	275 (15.8%)	1 (5.0%)	274 (15.9%)	279 (15.6%)
未着手	0 (0.0%)	24 (1.4%)	0 (0.0%)	24 (1.4%)	24 (1.3%)
合計	47 (100.0%)	1,741 (100.0%)	20 (100.0%)	1,721 (100.0%)	1,788 (100.0%)

※　固定資産を、その取得から除売却処分に至るまで、その経緯を個々の資産ごとに管理するための帳簿であり、所有する全ての固定資産（道路、公園、学校、公民館等）について、取得価額、耐用年数等のデータを網羅的に記載したもの。

【図表 2-3-2】2019（令和元）年度中における財務書類等の活用状況

（単位：団体）

区分（複数選択可）	都道府県	市区町村	指定都市	指定都市除く市区町村	合計
財務書類等の情報を基に、各種指標の分析を行った	20 (42.6%)	912 (52.4%)	16 (80.0%)	896 (52.1%)	932 (52.1%)
施設別・事業別等の行政コスト計算書等の財務書類を作成した	4 (8.5%)	90 (5.2%)	6 (30.0%)	84 (4.9%)	94 (5.3%)
公共施設等総合管理計画または個別施設計画の策定や改訂時に財務書類等の情報を活用した	3 (6.4%)	161 (9.2%)	6 (30.0%)	155 (9.0%)	164 (9.2%)
公共施設の見直し等を行う際の検討材料として、財務書類等の情報を利用し、施設の適正管理に活用した	0 (0.0%)	87 (5.0%)	4 (20.0%)	83 (4.8%)	87 (4.9%)
決算審査の補足資料とするなど、議会における説明資料として活用した	9 (19.1%)	218 (12.5%)	7 (35.0%)	211 (12.3%)	227 (12.7%)
簡易に要約した財務書類を作成するなどし、住民に分かりやすく財政状況を説明した	38 (80.9%)	440 (25.3%)	14 (70.0%)	426 (24.8%)	478 (26.7%)
財務書類等の情報を基に、地方債の説明会において財政状況を説明した	11 (23.4%)	11 (0.6%)	8 (40.0%)	3 (0.2%)	22 (1.2%)
上記以外の活用	3 (6.4%)	58 (3.3%)	1 (5.0%)	57 (3.3%)	61 (3.4%)
対象団体数	47	1,741	20	1,721	1,788

点の都道府県及び市区町村における「統一的な基準による財務書類」の基となる『固定資産台帳の整備状況』をみると、相当程度進んでいることがわかります（【図表２－３－１】参照）。

しかし、【図表２－３－２】のとおり、新地方公会計に基づく財務書類や固定資産台帳の情報に関して、公共施設等総合管理計画[2]など公共施設の適正管理に活用した事例はそれほど多くないことが見て取れます。

3　保有する資産（有形固定資産）に係る公会計活用の議会審議の想定事例

以下では、新地方公会計整備後における各自治体での審議実例や総務省資料[3]などを参考に、上記１、２を踏まえて考えられる想定事例を示します。なお、様々な角度からまとめているため、質問間で一部重複する部分もあることをご承知おきください。また、一問一答形式の審議の場面では、答弁者（首長等）の課題意識を確認するため、「質問の背景や問題提起」のパートからも具体的数値やその要因を重ねて質問することも想定されます。

【「質問の（社会・経済的）背景」に関する部分】

・我が国の人口は中・長期的に減少していくことが見込まれ、（自治体名）における合計出生率の推移をみると、前年度よりさらに低下し、（自治体ごとの実情）となっており、また、社会動態も、近隣都市への転出超過に転じ、（自治体ごとの実情）となっています。

・（自治体名）の予算編成（財政面）では、高齢化の進展から社会保障関係経費（福祉・扶助）が増加の一途を辿り、投資的経費については近年縮小傾向が続いています。

・（自治体名）の基幹的産業である○○業の就業者も、（自治体ごとの実情）％以上減少し、地域経済の縮小が懸念されるところであります。

・今後、現役世代の減少と高齢者の増加により、現役時代の住民負担の増大が懸念されます。

【「質問者の問題提起」に関する部分】

・過去（○○年頃）の高度経済成長期（又は人口増加期）に急激に建設された多くの公共施設・インフラが老朽化し、これから一気に更新時期のピークを迎えることとなります。

・我が（自治体名）の保有資産の改修・更新経費は、今後○年間で○○（箱物施設）は約○○億円、インフラ施設は約○○億円の建替え、改修費用がかかると試算され、また、人口減少に伴う地方財政の縮小から生活利便性への影響が懸念されます。

・以前は人口の増加を前提に新たな施設が作られてきましたが、今後は、人口の減少に加え、少子高齢化により高齢人口の割合が増加していくなど、今後の公共施設等の利用需要が質・量ともに変化していくものと考えます。

・厳しい財政状況の一方で、喫緊の課題である人口減少問題など、さまざまな施策・行政運営上の課題に着実に対応していくためには、限られた行財政資源をいかに効率的かつ有効に活用するかという視点が今後より一層重要となるところであります。

・（該当自治体名の）合併によって所管施設数が増大（重複）するなかで、施設全体の最適化を図っていく必要があります。

【具体的な質問の要旨】

・（具体的数値を示して）……財政が厳しい状況にある中、公共施設等の全体の状況を把握し、中長期的な視点をもって、公共施設等の計画的な集約化・複合化や長寿命化の対策を推進することにより、トータルコストを縮減し、維持管理・更新等にかかる財政負担の軽減・平準化を図るとともに、最適な配置を実現することが必要であると考えますが、（首長）はどのような見解か伺います。

・財政は依然として厳しい状況が続くものと見込まれ、財政負担の軽減や平準化を図る必要があり、個別施設ごとの長寿命化計画の全体計画との位置づけがされている（自治体名）インフラ施設長寿命化計画では、現在のところ、こうした経費の見込みが示されておりません。公共施設等に係る将来的な経費を示し、公共施設等の着実な維持管理を図っていく必要があると考えますが、どのように対応するのか伺います。

【首長の想定答弁】

・公共施設等の適切な管理についてでありますが、現在、（自治体名）インフラ施設長寿命化計画を○○年に策定し、これに基づき○○年度をめどに、橋梁、道路、市民利用施設、庁舎等の施設ごとに、点検結果等を踏まえた個別施設計画の策定に、鋭意取り組んでいるところであります。

・その中で、経費の見込みも示しながら、メンテナンスサイクルの構築やトータルコストの縮減など、公共施設等の長寿命化の取組みを進めてきております。

・その他に想定される答弁：施設の重複投資の整理や、ＰＦＩ、指定管理、外部委託など民間活力を活用した維持管理、使用料等の見直しの進捗状況など。

【首長の答弁を受けて再質問する場合の要旨】

・民間企業では、財務諸表を分析することにより自社の現状を把握・理解し、それを基礎資料として内部管理を行い、新たな経営戦略を立てるなどしていますが、今後の自治体経営においても、新たな地方公会計から得られる情報をさまざまな業務改革に活用していくこと、こうした視点は欠かせないものと考えます。

・新たな公会計の導入は、今後の財政運営の重要な基盤のひとつとなってくるものと受けとめております。我が（自治体名）においても、新たな地方公会計の導入により、○○年度決算からこれに基づく財務書類と固定資産台帳が整備されました。整備に当たっては、多くの人的資源の投入や導入経費を行いました。

・国（総務省）においても、事業別、施設別のストックやコストの情報を明らかにするセグメント分析に基づく政策評価、未収債権の徴収体制の強化など、適切な資産管理に関するさまざまな事例を示し、作成した財務書類や固定資産台帳の活用を促しているものと承知しております。

・新たな公会計の導入に当たっては、単に、財務書類等の作成、公表にとどまることなく、それをいかに活用するかが極めて重要な要素となります。しかし、我が（自治体名）においては未だ十分といえる状況にはないと考えます。

・例えば、財務書類等を活用することにより、公共施設等の全体の維持管理や更新等に必要となる中長期的な経費の見込みを示し、全庁的に共有を図りながら、長期的な視点を持って、総合的かつ計画的な管理を進めることができるものと考えます。

・こうした新たな地方公会計による財務書類、固定資産台帳の活用について、具体的にどのようなスケジュールで進めようと考えているのか伺います。また、具体的なロードマップも含めて伺います。

〈財務書類の各種指標分析がある程度進んでいる自治体向けの想定質問〉

・我が（自治体名）の○○年度の財務諸表の有形固定資産減価償却率は、近隣の○○（自治体名）と比較しても○○％と高く、老朽化は進んでいるものと思われます。

加えて、特に○○（施設種別名）などは、保有施設全体の比率と比較して高く、老朽化は進んでおり、早急に全体を俯瞰する更新計画が必要と考えます。

・これらに対して、更新や維持管理の財源となる○○基金の積み立ては○○億円と充分ではありません。

・新たな地方公会計の導入を契機として、収支の改善などフローの面だけでなく、公債残高などストックにも注目した財務体質の改善にも留意するなどの財政運営が求められるものと考えます。

・**こうしたことを踏まえ、これまでの延長線上の取組みにとどまることなく、公共施設等の全体の維持管理や更新等に必要となる中長期的な経費の見込みを示し、全庁的に新たな視点で検討を進めるべきと考えますが、（首長）はどのような見解か伺います。**

4　補足説明

公共施設の管理に係る公会計の活用等に関する関連説明です。適宜ご参照ください。

ポイントは、地方公会計と公共施設等の適正管理をリンクさせることにより、公共施設等のマネジメントをより効果的に推進することが可能となることです（【図表2－3－3】[4]参照）。

例えば、令和元年度に開催されていた総務省の研究会[5]では、

①　固定資産台帳を活用した公共施設等総合管理計画、個別施設計画との連携として、

・固定資産台帳の情報に基づく公共施設等の更新費用の推計

・有形固定資産減価償却率等に基づく対策の優先順位の検討

・施設別コスト等の分析に基づく再配置・統廃合、受益者負担の適正化等の検討

【長崎県島原市、新潟県糸魚川市】の事例等が紹介されています。

【図表 2-3-3】 新地方公会計と公共施設の適正管理の連携について

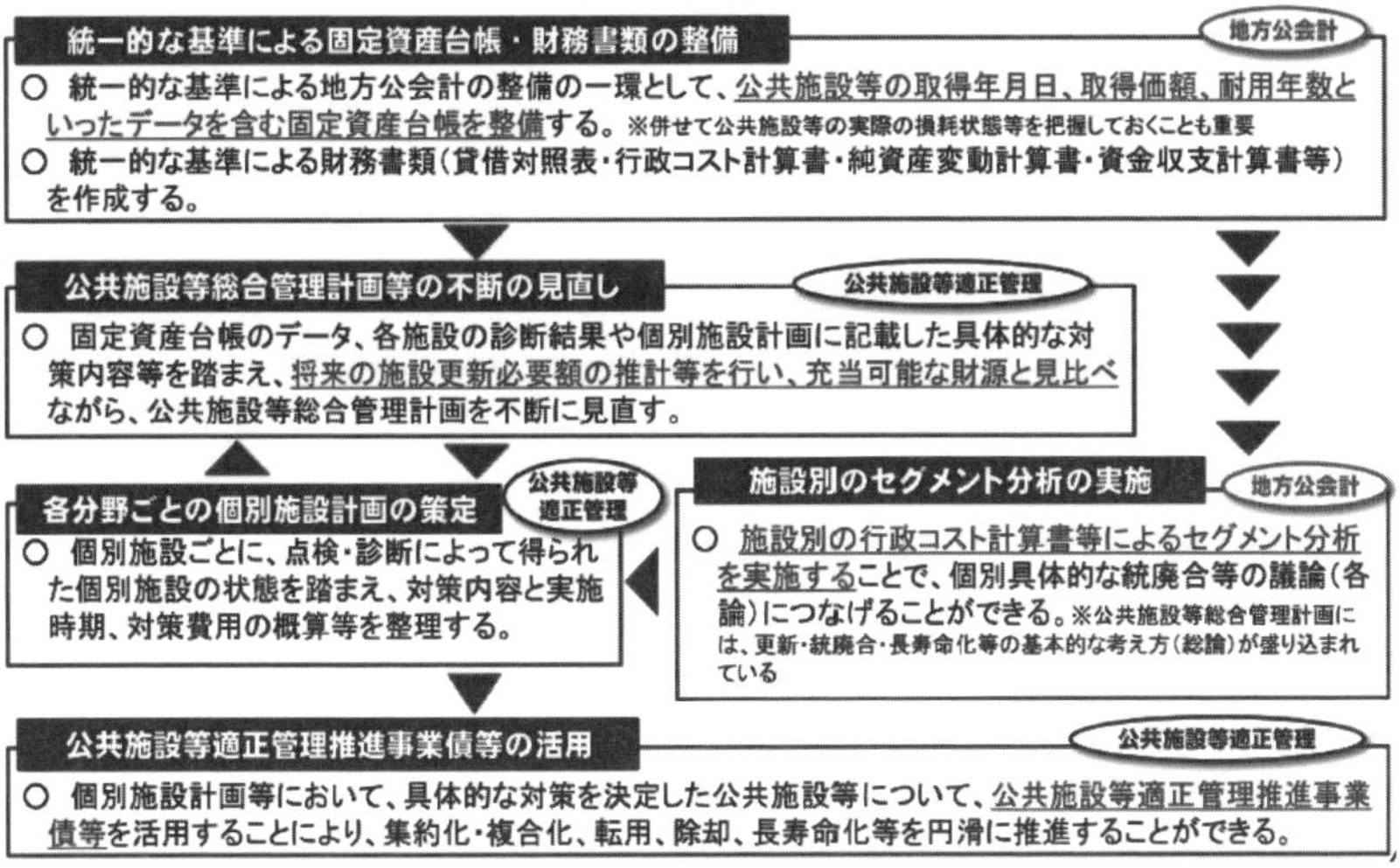
統一的な基準による固定資産台帳・財務書類の整備
地方公会計
○ 統一的な基準による地方公会計の整備の一環として、公共施設等の取得年月日、取得価額、耐用年数といったデータを含む固定資産台帳を整備する。※併せて公共施設等の実際の損耗状態等を把握しておくことも重要
○ 統一的な基準による財務書類（貸借対照表・行政コスト計算書・純資産変動計算書・資金収支計算書等）を作成する。
公共施設等総合管理計画等の不断の見直し
公共施設等適正管理
○ 固定資産台帳のデータ、各施設の診断結果や個別施設計画に記載した具体的な対策内容等を踏まえ、将来の施設更新必要額の推計等を行い、充当可能な財源と見比べながら、公共施設等総合管理計画を不断に見直す。
各分野ごとの個別施設計画の策定
公共施設等適正管理
○ 個別施設ごとに、点検・診断によって得られた個別施設の状態を踏まえ、対策内容と実施時期、対策費用の概算等を整理する。
施設別のセグメント分析の実施
地方公会計
○ 施設別の行政コスト計算書等によるセグメント分析を実施することで、個別具体的な統廃合等の議論（各論）につなげることができる。※公共施設等総合管理計画には、更新・統廃合・長寿命化等の基本的な考え方（総論）が盛り込まれている
公共施設等適正管理推進事業債等の活用
公共施設等適正管理
○ 個別施設計画等において、具体的な対策を決定した公共施設等について、公共施設等適正管理推進事業債等を活用することにより、集約化・複合化、転用、除却、長寿命化等を円滑に推進することができる。

② 未利用資産の活用に向けた固定資産台帳の活用

・固定資産台帳の記載項目にある「用途」、「売却可能区分」の一覧化・公表による、未利用資産の有効活用（民間等への売却・貸付）の促進

【宮城県大崎市、熊本県芦北町】の事例等が紹介されています。

・固定資産台帳を確認して、耐用年数を大きく経過している財産については、優先的に用途廃止や解体を実施、未利用の建物を別用途に再整備する際の洗い出しに、固定資産台帳のデータを活用

【岡山県真庭市】の事例等が紹介されています。

なお、有形固定資産のうち、償却資産の取得価額等に対する減価償却累計額の割合を「有形固定資産減価償却率」といい、これを算出することにより、耐用年数に対して資産の取得からどの程度経過しているのかを全体として把握することができます。当該比率の計算式と活用例は**【図表2－3－4】**のとおりです。事例では、自治体全体の有形固定資産減価償却率は43・3％ですが、小学校は38・1％、

【図表 2-3-4】「有形固定資産減価償却率」の計算式と活用例

$$\text{有形固定資産減価償却率} = \frac{\text{減価償却累計額}}{\text{有形固定資産合計} - \text{土地等の非償却資産} + \text{減価償却累計額}}$$

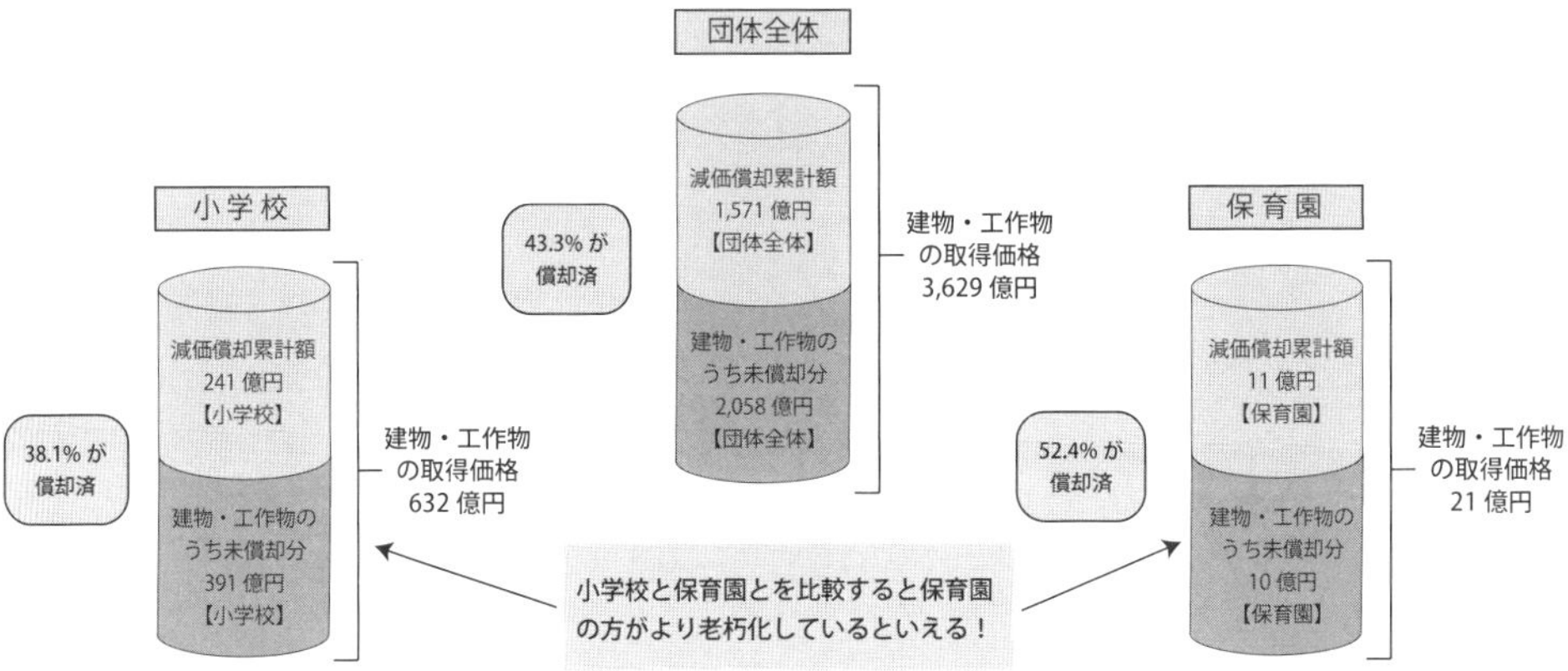

保育園は52・4%となっており、一般的には比率が大きい保育園における老朽化対策の優先度は高いといえます。

【註】

1　総務省「統一的な基準による財務書類の整備状況等調査（令和2年3月31日時点）」2020年7月

2　公共施設等総合管理計画とは、公共施設等の総合的かつ計画的な管理を行うための中期的な取組の方向性を明らかにする計画として、所有施設等の現状や施設全体の管理に関する基本的な方針を定めるものであり、2020（令和2）年3月時点で全地方公共団体の99・9%が策定完了している。

3　各地方公共団体の議会会議録を編集・加工するとともに、総務省ホームページ「公共施設の適正管理及び地方公会計の活用について」2020年1月総務省財務調査課長資料、「月刊地方自治2019年2月号『公共施設等の総合的かつ計画的な適正管理の推進について』小谷知也著などを参照している。

4　前掲 総務省ホームページ「公共施設の適正管理及び地方公会計の活用について」

5 事例の詳細は、総務省「地方公会計の推進に関する研究会（令和元年度）」報告書（https://www.soumu.go.jp/main_sosiki/kenkyu/chihokou_sokushin_r1/index.html）を参照されたい。

第4章 行政コスト計算書の意義と読み方の基本的知識

1 はじめに

この章のテーマは行政コスト計算書の意義と読み方です。近年、行政の説明責任ということばをよく聞くようになりました。住民には自分の住む地域の行政活動について知る権利があり、地方自治体はそれに応えて、作成した情報を住民に対して公開する、活動状況を住民が理解しやすいように説明する、そういう責任があると考えられるようになってきました。

特に、住民の代表である議員は、予算書、決算書等の資料の提出を受け、議会の権能である予算審議や決算審査等を通じて、首長や行政当局からしっかりと、行政活動の実績と効果や今後の計画と財政的裏付け等について納得のいく説明を受けねばなりません。

その際に活用する資料として、今日では歳入歳出決算書がその重要性を増しています。その理由は、財政事情が厳しくなる中で行政活動の改革や改善が常に求められるようになり、計画―実行―実績把握・効果検証―計画修正という行政プロセスの実績把握・効果検証のステップの重みが増し、実績を表す書類としての歳入歳出決算書がクローズアップされてきているからです。

歳入歳出決算書の内容は、日々の入出金伝票を整理して年間の収入支出情報としてまとめたもので、情報は非常に詳しく網羅的です。ただし、民間企業の決算書等との違いとして、作成の過程で固定資産や債務残高などのストック情報を組み込むしくみを持っておらず、また現金支出の時期と時間的に大きくずれて発生してくるコストの存在を度外視している点があります。そのことで隠れてしまっている重要な情報を「見える化」し、決算書を補完するのが、企業会計方式を取り入れた新地方公会計の財務書類の役割といえます。

そのうち、資産については「固定資産台帳」と「貸借対照表」を新たに作成することで「見える化」が進みます。この取組みについては前章のテーマとして取り上げました。もう一つの「現金支出を伴わないコスト」を「見える化」するのが「行政コスト計算書」の受け持つ大きな役割です。

2　なぜ今、発生主義か

「行政コスト計算書」は歳入歳出決算書の節分類による歳出項目を骨格として整理した表となっています。その中に、歳入歳出決算書の歳出項目には現れないいくつかの費目があります。それらは「現金支出を伴わないコスト」であり、減価償却費がその代表例です。その考え方はどこから来るのか、まずは会計の基本から見ていきましょう。

会計とは、ひと言でいえば「組織体の経済活動を、固有のルールに基づいて金銭で表示し、他者に伝達する行為」です。ここで、ある経済活動を「いつ（何時）」会計的に把握するかの基準を定める必要があります。「いつ（何時）」については、現金が通過した時点とするのが最も明解・簡単・確実です。それが現金主義の会計です。歳入歳出決算書はその考え方で作られています。

ところが、組織体の活動が拡大発展するにつれ、現金通過時点での「認識」では、その経済活動を適時適切に把握するには不十分となってきます。行政で言えば、一つは、税収などの未収が生じている場合で、調定はしたものの入金が滞っているケースなどです。これを現金主義の会計で処理すると、入金の時点で実収入額を記録することが基本であり、決算等の時点で別に記録した調定額と見比べて収入未済額を把握するような対応となります。これでは、未収税金の存在が見えにくく対策が後手となるおそれがあり、財政健全化の観点からも好ましくありません。こういうケースでは、税収の「認識」を発生（調定）の時点で行い、同時に入金するまでは相手に対する未収金の発生を「認識」するという考え方の方がより合理的です。これが発生主義の会計です。

これと反対に未払いがあると考えるべき場合もあります。現役職員に対し将来支払予定の退職金のケースです。現金主義の会計では、その職員が退職し実際に退職金を支払う時に初めて会計上の記録が起こります。しかし、退職金は労働の対価の一部を後払いするものと広く理解されており、退職金規程には各職員の勤務期間等に応じた支払いのルールが定められています。つまり、退職金は後日一括で支払われるとしても、個々の職員の在籍期間中に徐々に発生していて、その分はその期間のコストに加える（反対に退職時に一時に費用になるものではない）と考える方が合理的です。これも発生主義の会計です。

もう一つは、固定資産の増大という事実への対応です。各自治体では、公民館、図書館、文化会館などの公共用施設、役場庁舎などの公用施設、さらには道路、水道、下水道といったインフラ施設等の整備に多大な費用と労力をかけてきました。これらの耐用年数が長い施設の整備費支出を現金主義の会計で処理すると、整備した年度に一時に建設事業費が歳出として記録されますが、その後は人件費等の毎年の運営に要する経費が歳出の中心となってきます。その間も住民は公民館や道路を利用し、継続的に便益を受け取っているのですが、便益の受け取りの見返りに人件費等の経費がかかっていることまでは意識できても、施設の老朽化が徐々に進んでいることは歳出項目には現れず、意識されにくくなっています。そして、いよいよとなった時に、建物建て替えや橋梁《きょうりょう》更新等の支出の予算計上を迫られる可能性があります。

この問題は、施設の建設事業費を固定資産という概念でとらえ、その固定資産の価値が使用する予定の期間にわたって徐々に減耗《げんもう》すると考え、一期間の資産の使用分のみを、その期間の便益の実現に貢献した費用（減価償却費）として「認識」する考え方によって解決されます。この一期間の費用と便益を対応させる考え方も発生主義から発展したものです。「行政コスト計算書」はこのような発生主義とよばれる考え方で作られています。

少子高齢化の時代を迎え、各自治体においては各施設の減耗の程度を把握し適切に管理することにより、施設の長寿命化を図り財政負担を計画的に平準化する等の取組が行われています。固定資産情報とそれを基に計算される**資産の使用に対して意識するべき**「目に見えないコスト」、これらを考慮することが合理的な政策決定の支えとなります。これが「なぜ今、発生主義か」という問いに対する一つの答えです。

3 「行政コスト計算書」の読み方

「行政コスト計算書」の説明に入る前に、新地方公会計の財務書類の種類について簡単に触れておきましょう。新地方公会計の財務書類も歳入歳出決算書をベースとして作成しているので、基本的には一般会計、各特別会計の別に存在します。ただし、それでは財政の全体像をつかみにくく、また他団体との比較にも不便なので、統一的な基準では、一般会計等を基礎とした財務書類と特別会計まで合算した全体財務書類の2種類を作成することを求めています（そのほかに連結財務書類の作成も求められていますが、それについては別の章で述べます）。

それでは、実例に沿って「行政コスト計算書」の構成をみていきましょう。次頁【図表2－4－1】は長野県豊丘村の平成30年度一般会計等行政コスト計算書です。

「行政コスト計算書」は、大きく経常費用・経常収益の欄と臨時損失・臨時利益の欄に分かれています。これは、コストの全体及び各要素を示すとともに、中間に「純経常行政コスト」という項目を設け、臨時的要素を除いた経常的なコストの状態をみることができるようにしたものです。

経常費用の項目をみると、歳出決算の性質別経費欄に出てくる、物件費、維持補修費、補助費等が同じ名称で姿を見せています。また、歳出決算（性質別）の人件費は「行政コスト計算書」では職員給与費と、同じく扶助費は社会保障給付と、公債費のうちの利子は支払利息と名称を変えて表示されています。いずれの項目も両方の書類に細かい集計ルールの違いがあるので数字の差異はありますが、もとは同じ歳出決算（節別）です。

新たに出てきたのは、現金支出を伴わない「発生主義のコスト」です。まず広義の人件費には賞与

【図表 2-4-1】 一般会計等行政コスト計算書（長野県豊丘村）

自　平成30年4月1日
至　平成31年3月31日

（単位：千円）

科目	金額
経常費用	4,218,487
業務費用	2,791,979
人件費	824,628
職員給与費	554,406
賞与等引当金繰入額	38,699
退職手当引当金繰入額	971
その他	230,552
物件費等	1,941,374
物件費	978,559
維持補修費	133,777
減価償却費	825,487
その他	3,551
その他の業務費用	25,977
支払利息	19,567
徴収不能引当金繰入額	-
その他	6,410
移転費用	1,426,508
補助金等	643,809
社会保障給付	367,338
他会計への繰出金	372,177
その他	43,184
経常収益	146,503
使用料及び手数料	86,704
その他	59,799
純経常行政コスト	4,071,984
臨時損失	35,404
災害復旧事業費	35,134
資産除売却損	270
投資損失引当金繰入額	-
損失補償等引当金繰入額	-
その他	-
臨時利益	2,879
資産売却益	2,879
その他	-
純行政コスト	4,104,509

（出典）長野県豊丘村ホームページ

等引当金繰入額と退職手当引当金繰入額が加わっています。これらは来期または将来の支出を見越してその一部を当期の費用として計算したものです。これらの額は比較的小さいですが、人件費は実際に支払った額だけではないと認識することが重要です。

次に、物件費等の中に減価償却費が計上されています。豊丘村の減価償却費は8億円、物件費等の4割以上を占める重要な項目となっています。これから公共施設の維持管理や更新、施設使用料の設定等を考える際にしっかり押さえておきたいコストです。

その他の業務費用の中には、徴収不能引当金繰入額というのがあります。これは先ほど述べた未収税金と関連があります。未収税金等を認識してその回収に努力することは重要ですが、どうしても徴収不能となるケースは一定程度生じるでしょう。そこで、これまでの回収実績等を勘案して徴収不能見込額を計算し、その一部を当期のコストとして認識する、それが徴収不能引当金繰入額です。

一方、歳出決算の性質別経費欄には出てきますが、「行政コスト計算書」には登場しない項目も多くあります。①公債費のうちの元金、②積立金、③投資及び出資金・貸付金、④投資的経費のうちの普通建設事業費等です。このうち、①は借りたお金と同額を返すだけの行為なので、「行政コスト計算書」ではなく「貸借対照表」の負債の減少として処理します。②と③も「貸借対照表」の方へ回され、資産の増加として記録されることとなり、当期のコストとしては認識されません。④は前に述べたとおり一時の費用としては処理せず、「貸借対照表」の資産に計上した上で、一期間の資産の使用分のみを減価償却費として認識します。

このように、「行政コスト計算書」の費用項目は行政サービスの提供のためにその期間に使われた（あるいは発生した）と認識できるものに限定されるのです。なお、繰出金については、一般会計等の「行政コスト計算書」では他会計への繰出金としてコストに計上されますが、全体「行政コスト計算書」では会計間の内部取引に過ぎなくなり消去されます。

次に経常収益の項目をみると、内訳は使用料及び手数料とその他となっています。ここでのその他は主に雑収入です。実は、歳入決算の大半を占める税収等と国県等からの補助金は別の財務書類である「純資産変動計算書」の方に載せるしくみとなっています。また、地方債収入も「貸借対照表」の負債の増加として記録します。これは、「行政コスト計算書」では先ほど述べた発生主義の考え方、一期間の費用と収益（または便益）を対応させることを重視しており、それに当てはまり収益といえるものは住民が行政サービスの対価として直接支払う使用料及び手数料等に限られてしまうからです。

最後に、臨時損失・臨時利益についてもみておきましょう。臨時損失項目の中で重要なものに災害復旧事業費があります。これは、投資的経費のうちの災害復旧事業費に当たるもので、投資的経費とはいうものの資産性に乏しく、臨時に発生した費用として当期に処理する方が妥当であろうと判断したものです。

4　財務書類の審議活用のポイント

財務書類は本表である財務4表（または3表）のほかに、附属明細書と注記から構成されています。附属明細書と注記には、本表を読み解くために必要な補助的情報が盛り込まれているので、財務書類内容の審議に当たってはそこにも目を通しておくと有益でしょう。ところが、残念なことに財務書類の公開が本表だけに止まっている自治体は決して少なくないのです。もしそういう場合には、議員の皆さんにぜひ質《ただ》してほしいところです。

今回財務書類を事例として掲載した長野県豊丘村は、人口6000人余の小規模自治体ですが、財務書類を附属明細書・注記まで含めてきちんとホームページ上で公開しています。また、同村は歳入歳出決算書なども全文を公開しています。それらの資料を一般の住民や外部の関係者などが自由に閲覧できるよう公開することは大切ですし、議員の皆さんにとっても紙の資料とは別に電子的な情報を利用でき便利となるでしょう。財政情報を公開し積極的に説明しようとする姿勢があるかどうか、ここにも審議のポイントがあります。

【参考文献】
友岡賛著『会計学はこう考える』ちくま新書、２００９年

第５章　官庁会計方式の限界と新地方公会計の活用
―夕張市を事例として

１　はじめに

この章のテーマは議会審議における新地方公会計の活用です。新地方公会計の役割は官庁会計方式による決算書の補完にあります。ですので、議会審議での活用のポイントも、従来の決算資料からでは見えづらかった財政の論点に、もう一段切り込むための財務書類の使い方にあります。そこで前半は、官庁会計方式のどのあたりに限界があり、新地方公会計がそれをどう補完しようとしているのかを説明します。そして後半で、夕張市を事例として財務書類、特に貸借対照表の見方と具体的な審議のポイントについてお話しします。

なお、財務書類には三つの種類（一般会計等、全体及び連結）があり、それぞれに附属明細書と注記がセットで付いています（ただし、全体及び連結の附属明細書は一部について作成を省略できます）。その作成時期は翌年度後半となる自治体が多いですが、議会での活用を考えれば、決算審査に間に合うように作成公表されることが望ましいといえます。

2　官庁会計方式における工夫と限界を知る

前章で、官庁会計方式による歳入歳出決算書は現金主義の会計であると言いました。しかし、もう少し詳しく言うと、官庁会計方式は現金主義の考え方を一部修正しています。

それは出納整理期間の制度です。出納整理期間はご承知のとおり翌年度の5月末までとなっています。この制度の対象は、年度内に調定（発生）したけれども現金の収支が終了せず、年度をまたいで5月末までに現金化された収入・支出です。これらの収入・支出は、現金の収支が年度内に完了したと見なして処理します。こうして、予算と決算の対応関係や年度の収入と支出の対応関係を保ち、見やすいように工夫しているのです。この考え方を修正現金主義といい、現金主義に発生主義的要素を一部取り込んでいます。

また、官庁会計方式はストック（残高）情報も報告しています。その対象は、未収税金などの債権、地方債残高などの債務、基金・出資金などの財産です。それらの残高は、**現金収支の集計とは別に計算**を行って、決算書の「収入未済額」欄や「財産に関する調書」、予算書付属資料の「地方債調書」「債務負担行為調書」等に個別に記載され、フロー（現金収支）の情報を補完しています。

しかし、これらの工夫によっても「見える化」されない重要な情報があります。一つは、建物や道路などの有形固定資産のストック（残高）情報です。「財産に関する調書」で報告される有形固定資産についての情報は、一般的には面積などの物理的な量の情報に止まっています。有形固定資産のような経済的な価値は、金銭的な資産・債権や債務のようには簡単には計算できないのです。しかし、有形固定資産の経済的な価値の情報がないと、公共施設等の維持更新に係る財政的な見通しを立てることが著しく困難となります。また、有形固定資産の情報をもとに計算する減価償却費の算出もできなくなります。

もう一つは、発生していると考えるべきだが「現金支出を伴わないコスト」の情報です。出納整理期間の設定により、出納整理期間内に支払いの完了する発生コストは記録されますが、減価償却費や将来支払い予定の退職金に関する負担額などは依然として「見える化」されません。また、毎年発生する退職金に関する負担額は、支払われるまで債務として累積していきますが、そのストック（残高）情報（退職手当引当金債務など）も、官庁会計方式では見えてきません。

これに対して、新地方公会計の「貸借対照表」は、経済的価値のある資源（金銭的な資産・債権、土地・建物・道路など）と将来の現金流出が確実な債務（地方債残高、退職手当引当金など）の**すべてを一覧できる形**に整理して示します。また、「行政コスト計算書」には、この期間に発生していると考えるべきすべてのコストが収録されます。さらに、ストック（残高）を表す「貸借対照表」とフロー（期間収支）の表である「行政コスト計算書」は、複式簿記の会計システムにより**共通のデータから枝分かれ的に計算**され同時作成されるので、ストック（残高）情報の信頼性も高まります。

このように、官庁会計方式には明解・簡単・確実という優れた特性の一方でいくつか限界があり、経済・社会の発展とともに複雑さを増した財政状況の一部が見えにくくなっています。新地方公会計はその見えにくい部分を補完するために導入されているのです。

【図表 2-5-1】想定の夕張市貸借対照表負債の部（平成 17 年度末）

（単位：億円）

一般会計等貸借対照表

資産の部	負債の部
・・・	・・・
	純資産の部 ・・・
合計	合計

⇒拡大

負債の部
地方債 147.3
長期未払金 31.5
計（178.8）
その他・・・

＋公営事業会計

→全体貸借対照表

負債の部
地方債 205.6
長期未払金 82.6
計（288.2）
その他・・・

＋第三セクター等

→連結貸借対照表

負債の部
地方債等 273.9
長期未払金 82.6
計（356.5）
その他・・・

（注）

	一般会計等	全体	連結
見えなかった一時借入金	145.4	275.9	275.9

3　財政破綻当時の夕張市を公会計の視点で見る

官庁会計方式の弱点の一つは、資産と負債の全体像をつかむしくみがないことです。仮にある自治体の資産と負債のバランスが崩れていても、決算書だけからそれを読み取ることは容易ではありません。そのあたりを財政破綻当時の夕張市の例で見てみましょう。

かつての夕張市は、人口が減少する中、人口当たりで他市の2倍にもなる職員数を抱え、経常収支比率が116・3％（平成16年度）に達していながら、観光関連事業等に多額の出費を続けていました。一般会計、特別会計ともに地方債残高はすでに調達の限界に達していましたが、不足する資金を外部からの一時借入金と内部での会計間の貸し借りによって手当し、実質収支が黒字となる決算報告を続けていました。

【図表2－5－1】は破綻直前（平成17年度末）の夕張市の貸借対照表を、当時北海道が行った調査に基づき想定してみたものです（といっても資産の部は材料がなくほとんど推定できないので、もっぱら負債の部です）。

一般会計等貸借対照表では、主な負債は地方債（残高）147・3億円と第三セクター等に対する長期未払金31・5億円です（長期未払金は官庁会計における債務額の確定している債務負担行為のことで、地方債の抜け道となるおそれがある）。資産の額が想定できないので、資産と負債のバランスがどのようであるかは一概には言えませんが、この段階ですでに負債の額が相当多いことに気づきます。

次に、全体貸借対照表ですが、ここには自治体のすべての会計が含まれます。市には当時、一般会計等以外に水道事業、病院事業、観光事業等九つの地方公営事業会計がありました。これらの会計は一般会計に比べて議会の目も届きにくく、ここにも一時借入金や一般会計からの資金（それも一般的な繰出金ではなく貸付金）が流れ込み、実態は一層見えにくくなっていました。公営事業会計の分を加えた地方債等は何と288・2億円となります。

さらに、夕張市には観光事業の現場を預かる第三セクター等の外郭団体も複数ありました。市の会計だけでなく、外郭団体の決算も取り込んだ最も範囲の広い財務書類が連結財務書類です。市の連結貸借対照表の負債にはさらに第三セクター等の借入金68・3億円が加わり、地方債等は356・5億円にまで膨らみます。

ここまでは、官庁会計でも調べがつかないわけではないですが、公会計の貸借対照表があれば容易に一覧でき、問題のありかはつかみやすくなります。ところが、夕張市の問題はそこには止まらず、当事者が出納整理期間を悪用し、各会計で累増する不足資金を一時借入金に頼った上で、巧妙に見えなくしていました。それが公となったことが財政破綻の直接の引き金となりました。調査の結果、一時借入金として調達していた見えない債務は総額275・9億円に上り、連結ベースでみた17年度末の総債務額は632・4億円であることが判明しました。

【図表2−5−1】の貸借対照表でも見えなかった一時借入金までは表中に書き込んでいません。当時、新地方公会計の財務書類があったとしても、不適正な手法により集計外とされた金額まで「見える化」することは残念ながら難しかったと思います。それでも、資金収支計算書や行政コスト計算書の分析も加え、全体会計、連結会計と丹念に追いかけていけば、不正の核心の一つである会計間の貸し借りから生じる矛盾点などを発見できた可能性は高いです。

平成19年3月、夕張市の財政再建計画が総務大臣の同意を得て策定されました。そこでは、総債務額632億円のうち本来の地方債残高205億円等を除き、18年度末での病院事業、観光事業等の会計閉鎖や資産整理等の結果を織り込んで、今後18年間に解消すべき赤字額として353億円が決定されました。

計画では、毎年の歳入見込額の10数%に相当する額を赤字分の債務償還に充てることとなり、そのために大変厳しい緊縮財政を実行せざるを得ず、市民にも非常に重い負担がかかることとなりました。その後、平成21年の財政健全化法施行に伴い、財政再建計画は財政再生計画に、解消すべき赤字額は再生振替特例債という地方債に置き換わり、償還期限も2年延長が認められました。そして、夕張市は現在もその計画を忠実に実行し、過去の赤字穴埋めのための借金を毎年20億円以上も返済し続けています。

4　夕張市の今を財務書類で確認する

ここで、夕張市の財政の現状を平成30年度末連結貸借対照表で確認しておきましょう（【図表2－5－2】参照）。重要なのは資産額と負債額です。

まず負債の部を見てみますと、負債合計が369億円、その大半が地方債等（残高）で1年内償還

【図表 2-5-2】 連結貸借対照表（北海道夕張市　平成 31 年 3 月 31 日現在）

（単位：千円）

科目	金額	科目	金額
【資産の部】		【負債の部】	
固定資産	55,446,953	固定負債	33,433,988
有形固定資産	49,727,931	地方債等	30,716,259
事業用資産	30,623,583	退職手当引当金	1,104,581
土地	5,864,256	その他	1,613,148
立木竹	4,545,391	流動負債	3,468,441
建物	48,074,035	1 年内償還予定地方債等	3,266,960
建物減価償却累計額	△31,108,501	未払金	44,374
工作物	7,282,911	未払費用	4
工作物減価償却累計額	△4,283,816	賞与等引当金	80,550
建設仮勘定	249,308	預り金	69,856
インフラ資産	18,275,831	その他	6,698
土地	1,121,877	負債合計	36,902,429
建物	2,064,007	【純資産の部】	
建物減価償却累計額	△882,903	固定資産等形成分	59,827,871
工作物	59,064,149	余剰分（不足分）	△38,044,146
工作物減価償却累計額	△44,373,496	他団体出資等分	636,500
その他	2,030,175		
その他減価償却累計額	△752,057		
建設仮勘定	4,080		
物品	1,789,708		
物品減価償却累計額	△961,191		
無形固定資産	40,901		
ソフトウェア	40,618		
その他	283		
投資その他の資産	5,678,121		
投資及び出資金	859,611		
有価証券	96,487		
出資金	763,124		
長期延滞債権	498,597		
長期貸付金	4,626		
基金	4,246,079		
減債基金	863,295		
その他	3,382,784		
その他	84,865		
徴収不能引当金	△15,657		
流動資産	3,875,702		
現金預金	624,245		
未収金	122,736		
基金	3,081,995		
財政調整基金	3,081,995		
棚卸資産	52,362		
徴収不能引当金	△5,636	純資産合計	22,420,226
資産合計	59,322,655	負債及び純資産合計	59,322,655

（出典）北海道夕張市ホームページ

予定分を含めて340億円です。附属明細書によればそのうちの192億円が赤字穴埋めのための借金（再生振替特例債）です。当初の要返済赤字額は353億円でしたから12年間で161億円を返済してきたことになります。もしもこの不良な債務がなかったら、夕張市がどれほど元気な姿であったかと思うと、複雑な心境です。

一方の資産の部の合計は593億円、その大半は事業用資産（学校・庁舎・公営住宅等）、インフラ資産（道路・水道等）等の有形固定資産と基金残高です。市の資産額は、過去からの蓄積、特に公営住宅等の高い整備水準により市の規模の割には大きな額ですが、巨額な負債額と対照してみたとき、決して健全なバランスとは言えません。また、後で見るように、資産の老朽化が進んでいることが窺《うかが》えます。

なお、自治体の資産というのは、企業の資産のように利益の源泉となるものではなく、住民への行政サービスに使うものですから、換金価値としてとらえるのは適切でありません。むろん、資産の額が多ければそれだけ行政サービスの提供能力が高いとみることはできますが、同時に維持するコストも多くなりますので、手放しでは喜べません。資産額を見る際には、行政コストの水準や負債額とのバランスをつねに考慮することが重要です。

5　財務書類の審議活用のポイント

財務書類を活用するポイントの一つは、指標の利用です。「貸借対照表」や「行政コスト計算書」を大きな視野でとらえるには、項目間の比率や住民1人当たり金額などの主要指標を押さえてゆくのが早いでしょう。それには、総務省が集計している全国自治体のデータを利用するのが便利です（以下は総務省「地方公会計の整備」「平成29年度　統一的な基準による財務書類に関する情報」https://www.soumu.go.jp/iken/kokaikei/H29_chihou_zaimusyorui.html のうち「市区町村指標一覧」のデータを使用しています）。

まずは、住民1人当たり資産額です。夕張市の値は601・8万円で、全国1591自治体のうちの上から184番目です。因みに全国自治体の平均（中央値）は石川県能美《のみ》市の205・2万円です。夕張市が高い理由は人口の割に公営住宅等の施設を多く所有するためです。ただし、資産は活用していないとコストばかりがかかってしまうので注意が必要です。

次は、住民1人当たり負債額です。夕張市の値は412・1万円で、これは全国自治体のワースト9位です。過去の債務が住民にとって相当に重い負担となっています。全国自治体の中央値は千葉県横芝光町《よこしばひかりまち》の59・8万円です。

続いて、住民1人当たり純行政コストです。夕張市の値は93・7万円で、これは全国で多い方から210番目です。緊縮財政で行政コストを相当切り詰めているはずですが、高齢人口も多く公営住宅コスト等の縮減にも限界があると思われます。全国自治体の中央値は奈良県御所《ごせ》市の43・4万円です。

資産と負債のバランスを表すのが、純資産比率です。純資産は資産と負債の差額であり、純資産を資産合計で割ったこの比率は、高いほど財政破綻のリスクが低いといえます。夕張市の値は31・5％で、これは全国自治体のワースト5位です。リスクは依然高いながらも財政再生計画を着実に実行している今の状況を反映しています。全国自治体の中央値は秋田県井川《いかわ》町の72・6％です。

最後は、減価償却の進捗度合いを表す有形固定資産減価償却率です。この比率が高いほど有形固定資産の老朽化が進んでいると推測されます。夕張市の値は69・9％で、これは全国自治体の中で高い方から141番目です。厳しい緊縮財政の下で施設の更新が進まず、老朽化が深刻になっている可能性が高いです。全国自治体の中央値は北海道津別町《つべつちょう》の59・3％です。

（参考文献）
北海道企画振興部「夕張市の財政運営に関する調査」平成18年9月
読売新聞北海道支社夕張支局編著「限界自治　夕張検証」梧桐書院、平成20年

第6章　財務報告を通じた行政・市民とのコミュニケーション

1　議会と行政及び市民との対話

前章は議会審議における公会計の活用を検討しました。自治体では二元代表制（首長と議会議員をともに住民が直接選挙で選ぶ制度）から、首長以外に多様な民意を反映できるよう議員が選出され、議会を構成します。議会は、第1章に述べましたように首長の行政活動を監視・統制し、予算や条例などの審議・決定を行います。したがって、自治体の首長と議会は、議院内閣制の国と異なり、相互に市民の要望や意見を踏まえ意思決定と行動をすることが求められます。首長も広報公聴や意識調査あるいは審議会等を通じて住民の意見を聞くチャネルを常時設けていますが、他方、議会は議員の活

動を通じて住民と接し、請願・陳情を受け、議会審議や調査を行います。首長が政策を立案し、政策・予算を執行し、財政を管理するのに対し、議員は個別案件から行政の問題点を指摘したり、新しい施策の要求をします。

公会計情報は従来の予算・決算などの制度情報を補完するものですが、自治体全体の財政状況などを包括的に把握します。その意味でマクロな財務情報で、個々の議員や市民の関心からは少し距離感があるかもしれません。しかし、その作成過程で物理的資源である有形固定資産について、庁舎や図書館などの建物・土地以外に道路や河川などインフラ資産について固定資産台帳を作成するようになりました。この作業は、マクロな情報を体系的に作成するために、ミクロな情報を整備して積み上げたものといえます。したがって、両者を関係づけることは、行政と議会・市民を橋渡しすることになります。貸借対照表の作成には個別の資産を確認し、評価をしなければならないためです。また、予算編成や行政評価への活用のため、総務省の活用推進の研究会でもミクロの事業単位や施設単位でセグメント情報を作成することを奨励しています。

こうした公会計情報の基盤整備は、議会審議だけでなく議会における合意形成や行政活動のチェック及び行政との協議において有用な情報を提供します。また、市民が個々の行政サービスの供給を受けるときに、今までになかったミクロな情報で確認・検証することを可能にし、公的アカウンタビリティ（説明責任）の改善にも資することになります。

ただし、これら情報を議員や市民が活用するには、専門的で複雑な財政と公会計の関係について首長部局と同等の知識が求められ、具体的に新たに作成されるようになった基礎情報を的確に理解す

【図表 2-6-1】 行政情報に関する首長部局と議員及び市民

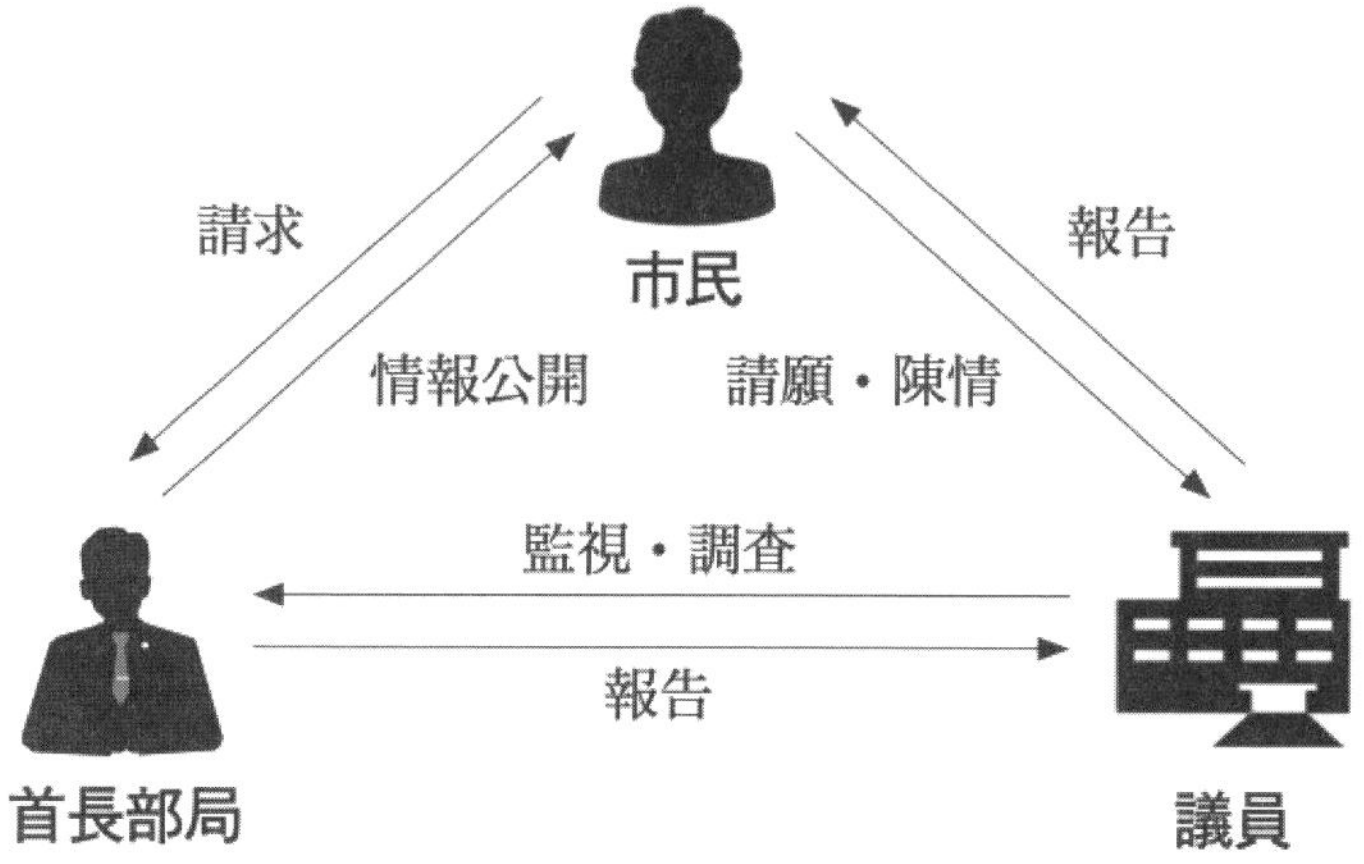

る必要があります。議会事務局は首長部局に比して多くの自治体では十分なスタッフを擁していないため、首長部局へのヒアリングや議員自らの研修・研鑽も重要です。市民には会計の専門家もいるかもしれませんが、財政や公会計の専門家は限定されますから、議員活動を通じて市民に情報をわかりやすく、正確に伝えることが期待されます。議員のみならず首長の本人（プリンシパル）である市民にとって、首長部局と大きな情報の非対称性（知識や理解の差）があると、首長のアカウンタビリティを検証することもできず、また、自らの代理人（エージェント）として選出した議員も首長を統制できなければ二元代表制の意義がなくなります。**首長部局は市民や議会に対し財務書類をはじめ行政情報に関し優位にたちますので、市民からの情報公開請求に応えるほか、議会は市民からの請願・陳情に応え議会審議を含め市民の代理人として行政に向き合わなければなりません（【図表2－6－1】**参照）。

2 固定資産や施設の確認による対話

具体例で考えていきましょう。固定資産台帳の詳細まで公開している自治体は約半数にとどまります（筆者も参加した研究会のアンケート調査結果から）が、議員であれば行政資料として入手可能なはずです。建物や工作物として有形固定資産減価償却率で耐用年数経過がどの程度か（老朽化の代理として）は財務書類の貸借対照表で計算できますが、あくまでも平均値です。実際の固定資産台帳をご覧になればわかりますが、古い工作物などは耐用年数が過ぎて供用されているものが多くあり、備忘価額1円として取得時点と場所及び物理量が記載されています。かかる資産は、現況がどうなっているか（現状と機能上問題がないか）、将来にわたり行政サービスのため必要なものか否か、必要ならばどのくらいの修繕費や更新費がかかるかを精査しないと公共施設等総合管理計画は適切に策定できません。このため、残念ながら、統一基準の財務書類でも有形固定資産の評価額や減価償却累計額からは、将来の更新需要額の推計は困難です。人口減における施設の更新需要と財源対策がこれからの課題とされます。

固定資産台帳からいかに施設管理にもっていくか、議会における予算審議や長寿命化あるいは施設管理計画の検討においては、首長部局と共通の理解及び現場と台帳の確認が必要です。そのため、地元の利用者や住民による確認・検証作業は、行政との協働として首長部局の管理業務における台帳の精度向上及び更新計画の検討に有用と思われます。住民の生活する空間で議員が一緒に（の支援で）自治体の固定資産（近くの用水路や道路など）を確認することは、議員と市民の距離を縮め、自治体全体の資産把握と関連付けることになり、結果として首長部局との対話に結び付きます（【図表2－

【図表 2-6-2】財務書類と固定資産台帳及び個々の資産の関係

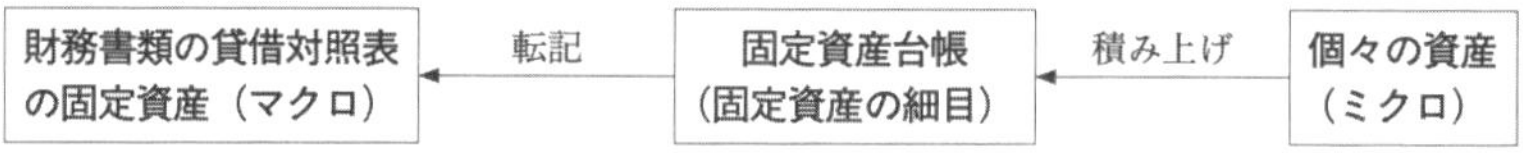

6－2】参照）。

また、施設別セグメント情報は図書館を代表に作成されつつありますが、多くの関心は貸出冊数あたりのコストを算定することに焦点があてられがちです。行政コスト計算書の作成が中心ですが、公立図書館は法律で利用料を徴収できません（図書館法第17条）ので、利用者コストは最終的には市民負担となり一般財源で賄われます。図書館利用の受益者は市民の一部であり、受益者と負担者は民間サービスのように一致しません。これは公立の体育館やプールで利用者からコストの一部を利用料として徴収し、受益者負担の原則が適用される場合と違う点です。図書館経費の大半は人件費と図書費ですが、貸出業務以外のレファレンスや閲覧・登録業務もあります。したがって、貸出・出納業務のアウトプットを貸出冊数とするのは良いにして図書館運営に要する費用を貸出冊数で除すると、過大な単位コストとなる可能性があります（出納業務の区分計算が必要）。

確かに貸出冊子当たりコストが書籍購入費よりも高くなると、利用者に購入補助をした方が効率的だという意見が強まります。しかし、図書館業務は近年地域創生や起業支援の役割も担っており、これらに当たる職員を増やしているなら総人件費を使用して単位費用を出すと、議会や市民の評価を歪めかねないことを行政側も認識しておく必要があります。**議員は行政サービスの目的を正確に認識し、財務情報や業績指標（単位コストなど）に問題があれば議会審議などで質《ただ》し、市民が誤った判断をするのを防止するのも重要な役割です。**

【図表 2-6-3】学校教育（義務教育）の財源と統制

支出項目	財源項目	市町村の統制範囲
人件費（基幹的）	国・都道府県負担	×
人件費（その他）	市町村負担	○
物件費・維持補修費	市町村負担	○
施設費	市町村負担・補助金・地方債	△

注：○は統制可能、△は一部統制可能、×は統制不能をさす。

3 事業別セグメントによる対話

市町村が設置・運営する義務教育学校のセグメント情報を作成し、コストと成果（学力試験の結果など）を比較して目標値の達成度合いを測定する場合もあります。しかし、学校の場合は図書館と異なり、国や都道府県と財源を分担しており、財務書類を用いてセグメント情報を作成しても教育活動の全体を把握できないことを知っておくことが必要です。特に、保護者となる市民との対話において、教育活動で発生する経費と財源の管轄が異なり、設置・運営主体の市町村で完結しないことの説明と理解が必要とされます。

【図表2−6−3】に示すように、1学級当たりの40人（小学校1年のみ35人）として算定される児童・生徒数に応じた基幹教職員にかかる人件費は、国と都道府県により負担され、人事権も都道府県（政令市）にあります。したがって、市町村の学校に配属される教職員は市町村の職員でないため市町村の財務書類の人件費には含まれません。独自採用の教職員のみ人件費として計上されます。このため、専門家の一部でも、市町村の教育では教職員の配置よりも施設の監理・管理の方が問題という誤解がみられます。物件費・維持補修費は自治体負担ですのでそのまま財務書類の費用及び支出になりますが、校舎などの施設整備についても国が補助金（補助率は1／2または1／3）を交付し、残額につき地方債を協議して発行することもできます。

したがって、市町村が単独で決定し統制できるのは、基幹教職員以外の人件費と物件費・維持補修費ということになり、施設費を含めても、財務書類で費用または支出として現れるのは、人件費の一部、物件費・維持補修費、減価償却費または施設整備費支出となります（【図表2−6−3】参照）。

もっとも教育活動の中心になる教員の人件費は都道府県の財務書類に計上されています。少人数教育とか教員の負担の軽減は学力や教育の質の向上に重要な要素ですが、これへの施策は市町村の統制外になります。○○町立小学校としての管理運営には、市町村と都道府県及び国の三者が関与しています。設置・運営でなく管理責任という見地から教育活動を統一基準の資金収支計算書の形態で整理したのが【図表2−6−4】です（括弧は市町村の資金収支計算書に追加した科目です）。

【図表 2-6-4】
学校教育をセグメントとする修正後の資金収支計算書
(主要科目のみ抜粋)

- [業務活動収支]
  - 業務支出
    - **[人件費（基幹的）支出]**
    - 人件費（その他）支出
    - 物件費支出
    - 維持補修費
  - 業務収入
    - 税収等収入
    - **[国県等補助金収入]**
  - 業務活動収支
- [投資活動収支]
  - 投資活動支出
    - 施設等整備費支出
  - 投資活動収入
    - 国県等補助金収入
  - 投資活動収支
- [財務活動収支]
  - 財務活動支出
    - 地方債償還支出
  - 財務活動収入
    - 地方債発行収入
  - 財務活動収支
  - 本年度資金収支差額

注：太字の括弧部分は修正して追加した科目である。

【図表 2-6-5】国・都道府県・市町村の施設と利用者の関係

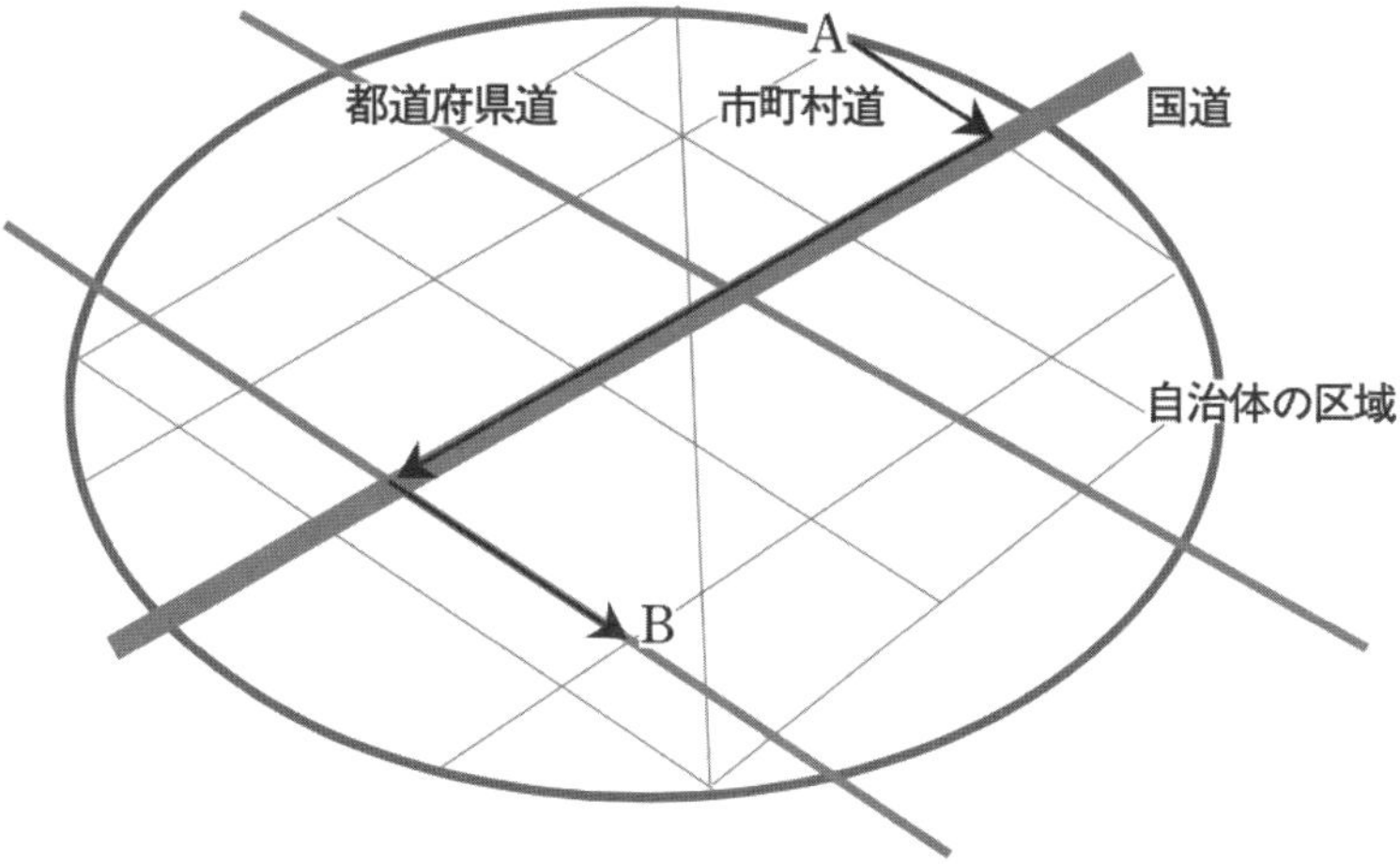

この様式で初めて児童・生徒当たりの費用や支出が算定できますし、人口減少で課題になっている学校統廃合も市町村の財政だけでない全体としての議論・検討が可能になります。議会や市民の行政への対応でも、夏季での児童生徒の安全・健康のためのエアコン設置等は市町村の教育委員会になりますが、教員配置や施設整備は都道府県教育委員会への要求になります。**基礎自治体で行政サービスが完結しない場合には、都道府県や国の関与を含めた財務書類（サービス単位の政府連結セグメント情報）に修正することにより、的確な費用と成果の関係が把握できます。**

同じように、道路事業についても市町村管理の道路について道路台帳に基づいた固定資産台帳が整備され、道路事業セグメント情報も作成できるようになりました。道路事業にかかる貸借対照表からどの程度の道路資産か、面積当たりの道路延長から整備率を算定することも可能です。しかし、地域住民にとって道路はネットワークであり、A地点からB地点へ移動するルートとして認識されます（【図表2－6－5】参照）。

市町村道、都道府県道及び国道を特に気にせず最短時間で到達できるか否かが重要で、市町村道の整備はこのルートが改善されるとき便益と認識されると考えられます。市町村の管轄区域に自由に利用できる施設が市町村設置以外にあるときは、地域住民にとって利用可能な施設がどうなっているかに関心があります。このため、かかるネットワーク性を持つ資産や代替性・同一機能を有する資産が他の事業主体で整備され利用できるならば、市民にとっては市町村単独の財務書類よりも市町村に所在する資産台帳のような情報が有用になります。もちろん、自治体は資産管理責任を負いますから、固定資産台帳と貸借対照表や行政コスト計算書及び資金収支計算書の連動を図る必要はありますが、有権者の代理人である議員は市民の見地から情報提供や施設の整備配置の検討をすることも求められます。たとえば、自治体の管轄区域に公的病院が設置されていれば機能分担を前提に公立病院を整備しないという選択肢もあり得ますし、県立の体育館・図書館あるいは県立大学が立地していれば、共同利用も検討してよいかもしれません。**今後の社会変動を踏まえた立地計画では、隣接市町村との共同設置を含め、財務書類での資産に限定されない地域や利用圏での資産情報の作成・活用を通じ、市民や行政を巻き込んで議会が審議・検討することも一つの考え方と思います。**

第７章　外郭団体等を含む連結財務書類等の分析による財政健全化・業務効率化の審議に関する具体的事例

1　はじめに

行政諸課題の解決に向けた新地方公会計の活用に関する議会審議の事例等について、この章は主に外郭団体等を含む連結財務書類等に視点を置いて説明します。

また、外郭団体等は「特定（個別）の団体」に対する質疑となる場合が多いと考えられるため、新地方公会計における連結財務書類に加えて、議会に提出される「外郭団体等の経営に関連する関連資料・データ」についても言及することとします。

なお、地方公共団体が出資・出捐（寄附）、財政的援助、損失補償、出向・派遣など財政的・人的関係が深い団体は、「外郭団体等」、「第三セクター等」などの名称で呼ばれています[1]。本稿では出典・引用等に合わせて両方の名称を使用しています。

2　外郭団体等の現状と課題

総務省では、毎年度実施している「第三セクター等の出資・経営等の状況に関する調査結果[2]」によれば、次の①、②の法人を『第三セクター等』としています。

①　地方公共団体が出資又は出捐を行っている一般社団法人・一般財団法人（公益社団法人・公益財団法人を含む。）及び特例民法法人並びに会社法法人

② 地方住宅供給公社、地方道路公社及び土地開発公社（それぞれ特別の法律に基づき地方公共団体が全額出資して設立する法人で、以下、「地方三公社」といいます。）

総務省では、バブル崩壊後、全国的に第三セクター等の経営悪化が見られたことから、地方公共団体に対し経営改善や法的整理を先送りすることなく進めるよう、「第三セクターに関する指針」の制定・改定を行うとともに、『地方公共団体の財政の健全化に関する法律』（略称：地方財政健全化法）を制定し、損失補償等を行うことにより地方公共団体が将来負担する見込額の開示を義務付けたほか、第三セクター等の整理・再生に向けた時限的な「改革推進債」を創設しました。

上記総務省の調査によると、平成31年3月31日時点で第三セクター等は7325法人、地方公共団体から補助金を交付されている法人は2653法人で、交付額総額は3492億円、借入を受けている法人は683法人で、借入残高は3兆2089億円となっています。地方公共団体による損失補償・債務保証が付されている団体は541法人で、債務残高は2兆7289億円となっています。また、第三セクター等のうち約4割が経常損益の赤字、約4%が債務超過、一年間で5法人が法的整理・私的整理の申し立てをしています。

第三セクターの経営状況は、総務省の指針等に沿って統廃合（過去10年で1360団体減）や経営改善（純資産の改善、損失補償額の減等）が進んできていますが、依然として残存する団体は、地方公共団体の財政運営に少なからず影響があるものといえます。

３　議会に提出される外郭団体等の経営に関する資料・データ等

議会での「外郭団体等に関する質疑」を行うに当たっては、既に提出されている次の資料・データを活用することが考えられます。

⑴ 地方自治法２４３条の３に規定する「法人の経営状況」

地方公共団体の長は、地方三公社、地方独立行政法人、資本金等の二分の一以上を出資している株式会社、一般財団法人等が作成する「経営状況を説明する資料（事業計画・予算、貸借対照表、損益計算書、実績報告書等の決算書類）」を議会に提出します。[3]

⑵ 地方公共団体の財政の健全化に関する法律に基づく『将来負担比率』に関するデータ等

将来負担比率は、次の計算式で算定されます。

> 【公営企業、出資法人等を含めた普通会計の実質的負債÷標準財政規模】×１００(％)

分子には、当該法人の財政状況の評価や、財務状況（資産超過又は債務超過）及び経営状況（経常損益の黒字又は赤字）等の評価を勘案して、地方三公社の負債額及び外郭団体等の「損失補償債務額等のうちの一定割合（10～90％）」が一般会計等の実質負担見込額に算入されます。よって、外郭団体等の経営・財務状況の悪化は『将来負担比率』の上昇につながります。

⑶ 連結財務書類に関するデータ等

新地方公会計においては、当該地方公共団体の一般会計等に係る決算財務書類と、地方三公社や第三セクター等の団体の決算額を合算し、内部取引は相殺消去して連結財務書類が作成されます（詳細は第4節参照）。なお、連結財務書類も含めた新地方公会計による財務書類は、当該年度の決算議会の審議や、次年度予算編成・審議に活用できるよう、作成・提出の早期化を進めている地方公共団体が増加する傾向にあります。

4　新地方公会計における連結財務書類の作成目的と概要[4]

連結財務書類の目的は、『当該地方公共団体とその関連団体を連結してひとつの行政サービス実施主体』として捉え、資産の状況、その財源である負債・純資産の状況、行政サービス提供に要したコストや資金収支の状況などを総合的に明らかにすることです。

また、連結ベースにおける有形固定資産減価償却率等の各種財政指標の把握が可能になり、公共施設等のマネジメントに資することも考えられます。

連結財務書類の対象となる団体は、【図表2－7－1】のとおりであり、業務運営に実費的に主導的な立場を確保している地方公共団体が特定できる場合（第三セクター等は出資比率50％以上の場合も含む。）には「全部連結（当該団体の資産・負債のすべてを地方公共団体の財務書類に合算する）」、当該地方公共団体が特定できない場合は出資割合、活動実態等に応じて「比例連結」することとされています。

また、総務省のホームページには、地方公共団体別に平成28年度以降の「統一的な基準による財務書類に関する情報」が掲載されています。

【図表 2-7-1】財務書類の対象となる団体（会計）

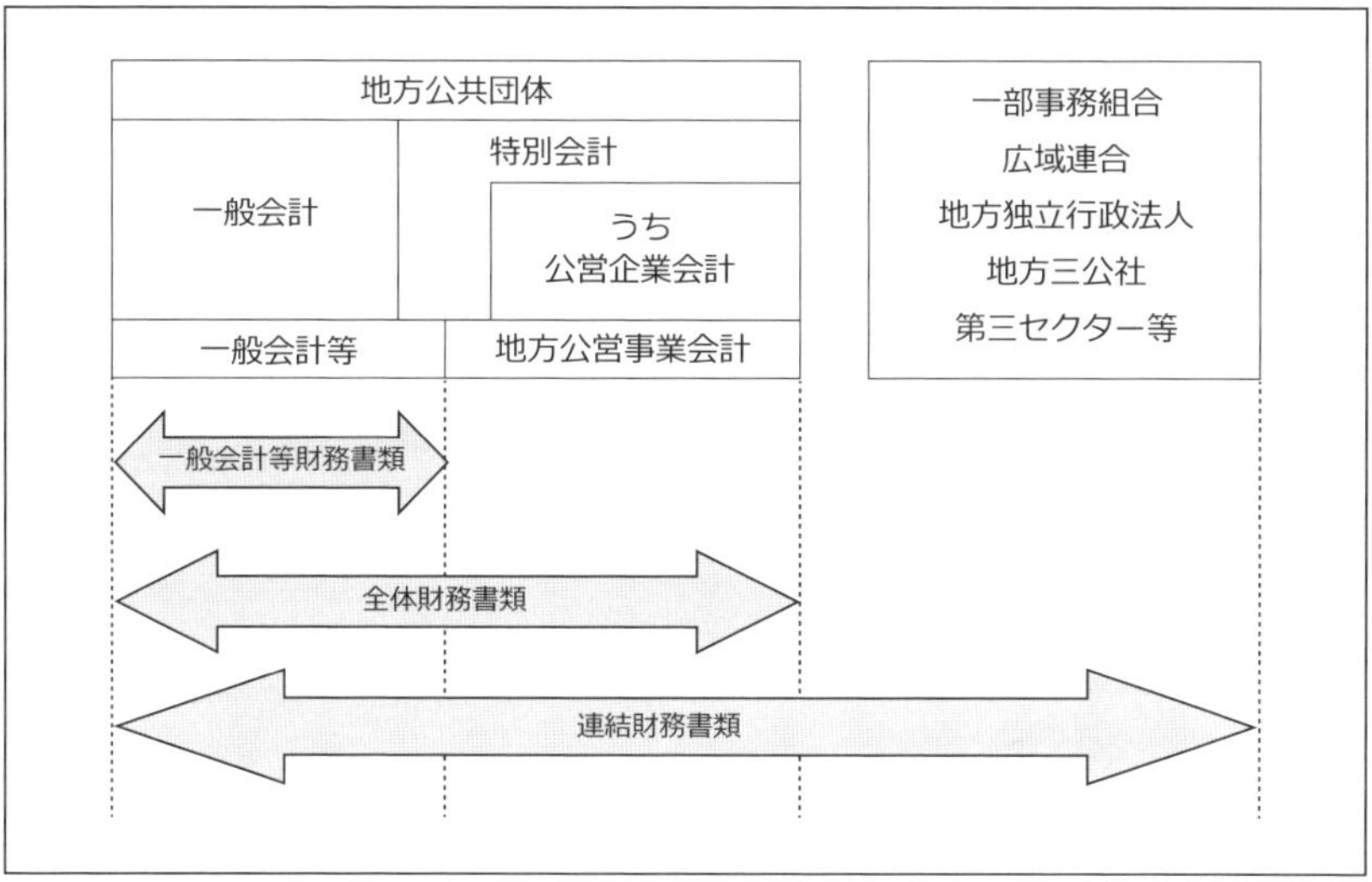

一例として、名古屋市の財務書類[5]の掲載内容を紹介します（紙幅の関係から筆者が大幅に加工・要約して示しています【図表2−7−2】参照）。

5　具体的な質疑事例

以下では、新地方公会計整備後における各自治体での審議実例や総務省資料などを参考に、上記1〜4を踏まえ、「想定される質疑事例」を示します。なお、様々な角度からまとめているため、質問間で一部重複する部分もあることをご承知おきください。また、一問一答形式の審議の場面では、答弁者（首長等）の課題意識を確認するため、具体的数値やその要因・理由等を（再）質問することも想定されます。

(1) 連結財務書類に関する質疑

① 作成後、間もない場合等

・新たに作成した連結財務書類からはどのようなことがわかると考えているのか。

・連結財務書類は県（市・町・村）政の運営にどのよ

【図表 2-7-2】 平成 29 年度財務書類に関する情報 （団体名：愛知県名古屋市）

（単位:百万円）

財務書類	科目等	平成 28 年度	平成 29 年度
一般会計等財務書類	資産①	3,683,499	3,683,984
	負債②	1,878,899	1,900,862
	純資産残高①▲②	1,804,599	1,783,122
	（29-28=純資産変動額） A		▲ 21,478
	（本年度差額 C-B） A の内数	462	▲ 56,341
	純行政コスト B	813,007	964,118
	税収 C	813,469	907,776
全体財務書類	資産③	5,905,942	5,849,331
	負債④	3,381,238	3,339,036
	純資産残高③▲④	2,524,704	2,510,295
	（29-28=純資産変動額） A		▲ 14,410
	（本年度差額 C-B） A の内数	26,743	▲ 39,733
	純行政コスト B	1,186,807	1,365,839
	税収 C	1,213,550	1,326,106
連結財務書類	資産⑤	6,835,386	6,745,197
	負債⑥	3,867,603	3,808,515
	純資産残高⑤▲⑥	2,967,783	2,936,682
	（29-28=純資産変動額） A		▲ 31,102
	（本年度差額 C-B） A の内数	51,574	▲ 17,804
	純行政コスト B	813,007	964,118
	税収 C	864,581	946,314

注）単位未満の金額は、それぞれ端数処理した関係で一致しないことがあります。

【分析内容】 愛知県名古屋市

①一般会計等財務書類

資産総額が前年度末から××百万円の増加(+××%)となった。これは事業用資産の取得額が減価償却による資産の減少を上回ったこと等によるものである。資産総額のうち有形固定資産の割合が××%となっており、これらの資産は将来の維持管理・更新等の支出を伴うものであることから、公共施設等総合管理計画に基づき、施設の長寿命化や集約化・複合化など公共施設適正管理に努める。また、負債総額は前年度末から××百万円の増加 (+××%)となった。金額の変動が最も大きいものは退職手当引当金であり、県費負担教職員に係る権限移譲に伴う給与負担の増等から××百万円増加した。なお地方債については. 地方債償還額が発行額を上回り、固定負債及び流動負債合わせて××百万円減少した。

経常費用は××円となり、前年度比××円の増加 (+××%)となった。そのうち、人件費が前年度比××円の増加となっており、これは主に県費負担教職員に係る権限移譲に伴う給与負担等による。また社会保障給付が前年度比××万円の増加となっており、今後も高齢化の進展などにより、この傾向が続くことが見込まれるため、事務事業の見直しなど行財政改革への取組を通じて、財源確保に努める。

②全体財務書類

水道事業会計、下水道事業会計を加えた全体財務書類では、資産総額は前年度末から××円減少(▲×%)し、負債総額は前年度末から××円減少(▲×%)した。資産総額は水道事業、下水道事業のインフラ資産を計上していること等により一般会計等に比し××円多いが、負債総額も××円多くなっている。

地下鉄料金や水道料金等を使用料及び手数料に計上しているため、一般会計等に比し経常収益が××円多くなっている一方、国民健康保険や介護保険の給付費を補助金等に計上しているため、移転費用が××百万円多くなっているなど、経常費用が××円多く、純行政コストは××円多くなっている。

③連結財務書類

名古屋市土地開発公社、愛知後期高齢者医療広域連合等を加えた連結では、資産総額は前年度末から××円減少(▲××%)し、負債総額は前年度末から××円減少(▲××%)し、資産総額は一般会計等に比べて××円多いが、負債総額も××円多くなっている。

連結対象企業の事業収益を計上しているため、一般会計等に比べて経常収益が××円多くなっている一方、社会保障給付が××円多くなっているなど経常費用が××円多く、純行政コストは××円多くなっている。

うに活用していくのか。

・新たな地方公会計の基準により作成された連結財務書類を、地域住民に対してどのような視点で広報していくのか。

②　財務書類の分析に関する質疑

・連結財務書類の資産合計（又は負債合計）をみると、前年度（又は過去3年間）と比較して減少（増加）しているが、これをどのように分析しているのか。また、財源構成はどのように変化しているのか。

・連結財務書類の純資産額をみると、前年度（又は過去3年間）と比較して「純行政コスト」が増加（減少）傾向にあるようだが、その要因は何か。

【期待される回答例の骨子】

・連結財務書類では「当該自治体と外郭団体等が行政サービスの実施主体」と捉える。

⇩実施主体内部での債権・債務の相殺後の財務書類が作成される。

自治体内部の資産・負債を合算した「全体財務書類」だけではわからない、資産・負債等、行政コストや資金収支の状況・増減分析等が総合的に把握可能

⇩**（自治体の財政援助等を受けて）外郭団体等が行う行政サービスコストの把握・増減分析**

・連結ベースでの各種財政指標の把握が可能

⇩**有形固定資産減価償却率を総合的に「公共施設等のマネジメント」に活用**

・地域住民への広報に当たっては、一般会計等財務書類と連結財務書類の比較が重要

(2) 地方公共団体から外郭団体に対する補助金交付などの財政的援助の改善に関する質疑

・本県（市・町・村）は、コロナ禍による税収減等により厳しい財政運営となっています。一方、外郭団体等に対する補助金は増加（または、ほぼ横ばい）の状況です。そこで、限られた財源の下での施策・事業の選択と集中や、外郭団体等の自主運営の促進が求められる中、今後の予算編成でどのような視点で取り組んでいくのか伺います。

・いわゆる団体補助金ですが、総務省では指針や研究会などで地方公共団体に対して外郭団体等の整理・縮小を求めております。また、団体補助金は補助期間の終期の設定や削減計画の方針を明確に打ち出している自治体も少なくありません。しかし、本県（市・町・村）の財政健全化方針にはそうしたことが記述されていません。団体補助金の削減、さらには外郭団体等の整理・縮小にどう取り組むのか伺います。

【期待される回答例の骨子】

・未曽有の財政悪化（財源不足）

⇩ゼロベースでの施策・事業の見直し、外郭団体等の自主運営の促進、外郭団体等が引き続きサービスの実施主体となる場合にはその明確な理由など

(3) 健全化判断比率（将来負担比率）の悪化に関する質疑

・本年度の「決算に基づく財政健全化法に係る健全化判断比率等に関する報告書」を見ると、昨年度と比して『将来負担比率』が○○%から××%に上昇しています。これは、『損失補償債務等に係る一般会計等負担見込額』、すなわち、外郭団体に対する債務超過や経常損益の赤字が影響

しているものと思いますが、今後これらの団体の経営改善をどのように進めていくのか伺います。

【期待される回答例の骨子】

・将来負担比率改善に向けた諸活動

⇩損失補償の削減、経常損益・債務超過の改善に向け具体的な取組内容とロードマップ

⑷個別の外郭団体そのものの経営に関する質疑

・外郭団体等の経営健全化に取り組むべき基準、いわゆる「財政健全性の評価基準」として、損失補償や短期貸付の一定の金額水準、採算性の判断基準などが考えられるが、経営の悪化している○○（外郭団体名）について、どのような評価を行っているのか（行っていくのか）伺います。

・外郭団体等の経営悪化や高水準の財政的リスク等が認められる場合、地方公共団体は、団体の支援として、役職員数・給与等の見直し、民間の資金・ノウハウの活用、自立的な資金調達に取り組むことなど、抜本的改革を含む経営健全化に取り組むことが肝要と考えますが、○○（外郭団体名）については、どのような手法で改善に取り組んでいくのか伺います。

【期待される回答例の骨子】

⇩外郭団体等の改善・再建等に向け具体的な取組内容とロードマップ

【註】

1 「第三セクター」に関して、法令での明確な定義はないようです。なお、総務省では通知、指針等の中で「第三セクター

等」を定義しています。

2　以下のデータは、総務省「平成30年度第三セクター等の出資・経営等の状況に関する調査結果の概要」に基づいている。https://www.soumu.go.jp/menu_news/s-news/01zaisei06_02000229.html

3　地方自治法第２２１条第3項、同法施行令第１５２条、第１７３条など

4　総務省Ｈｐ「統一的な基準による地方公会計マニュアル」（令和元年8月改訂）を筆者が要約した。https://www.soumu.go.jp/main_content/000641075.pdf

5　総務省Ｈｐ「地方公会計の整備―地方公会計の「見える化」―財務書類―平成29年度統一的な基準による財務書類に関する情報」https://www.soumu.go.jp/iken/kokaikei/H29_chihou_zaimusyorui.html

第８章　地方公営企業法適用及び経営戦略に関する議会審議

1　地方公営企業の課題

地方公営企業は、住民生活に必要なサービスを安定的に提供していく役割を担うとともに、料金等で経費をまかなう点で企業性を発揮することが求められています。

そのような中、人口減少等に伴うサービス需要の減少や施設の老朽化に伴う更新需要の増大など、公営企業を取り巻く経営環境が厳しさを増す中にあって、これまで以上に経営基盤の強化と財政マネジメントの向上を図ることが必要とされています。

【図表 2-8-1】 公営企業会計の適用を促す報告書

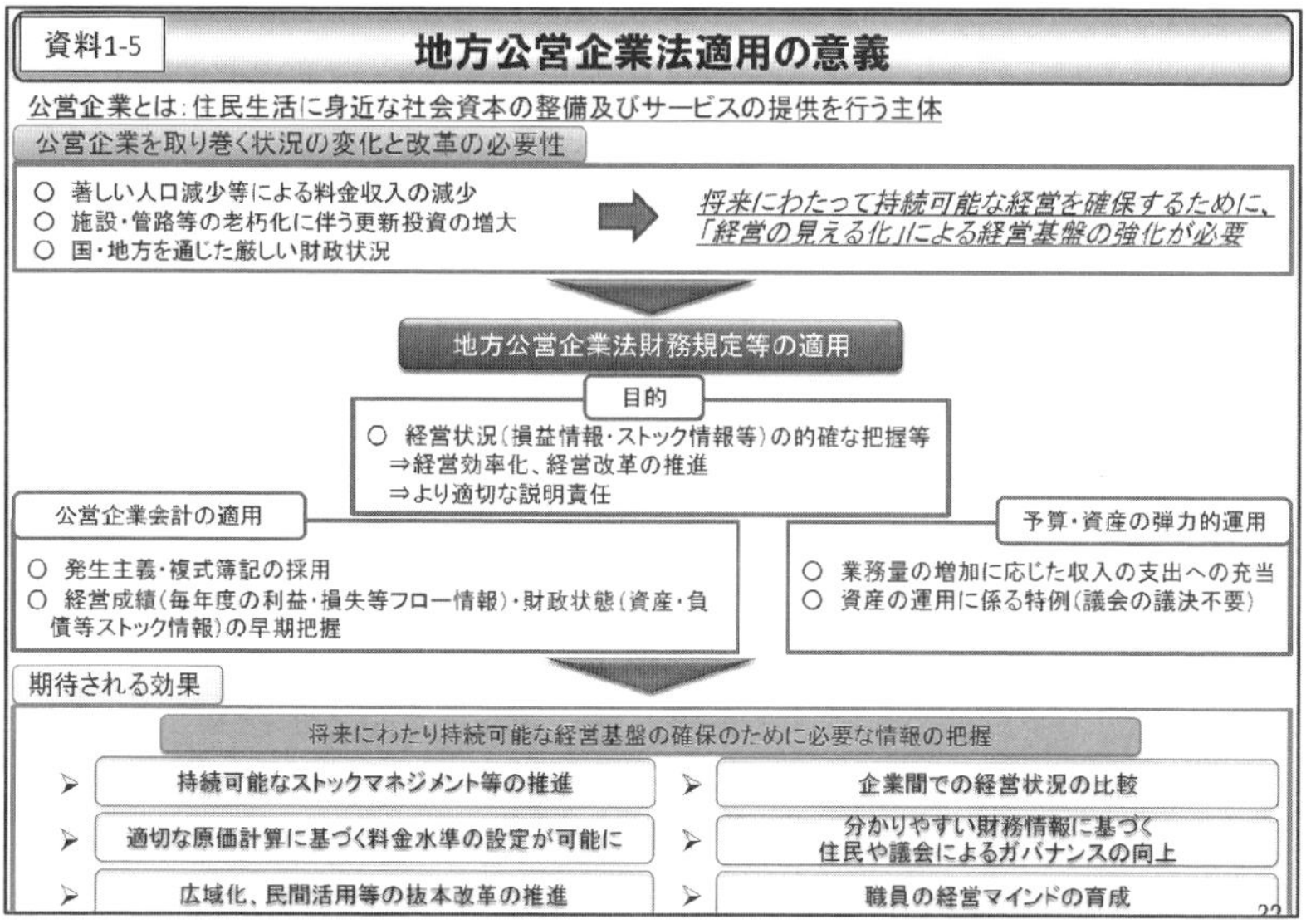

（総務省資料より抜粋）

以下では、市町村議員の方々にとってなかなか理解が得にくい地方公営企業改革のポイント、事例、さらに市町村議員の方が行政側に対しての質問案を掲載しています。

2　地方公営企業法の適用

(1) ポイント

独立採算がうたわれる地方公営企業の収入は、料金収入が基本です。しかし、病院事業は、救急医療やへき地医療もありますし、交通事業・下水道事業は、多額の施設建設等のために借り入れ、借金返済と支払利息を支払いつつも、料金収入は長期間かけて回収するため、構造上赤字が生じやすいといわれています。施設の維持補修や整備にも投資をしつつ、債務と支払利息の削減はもちろん、硬直化した費用コストを削減しなければなりません。一方、下水道事業を始め、いわゆる法非適用企業は、現金主義による官庁会計によってい

【図表 2-8-2】公営企業会計移行のための新ロードマップ

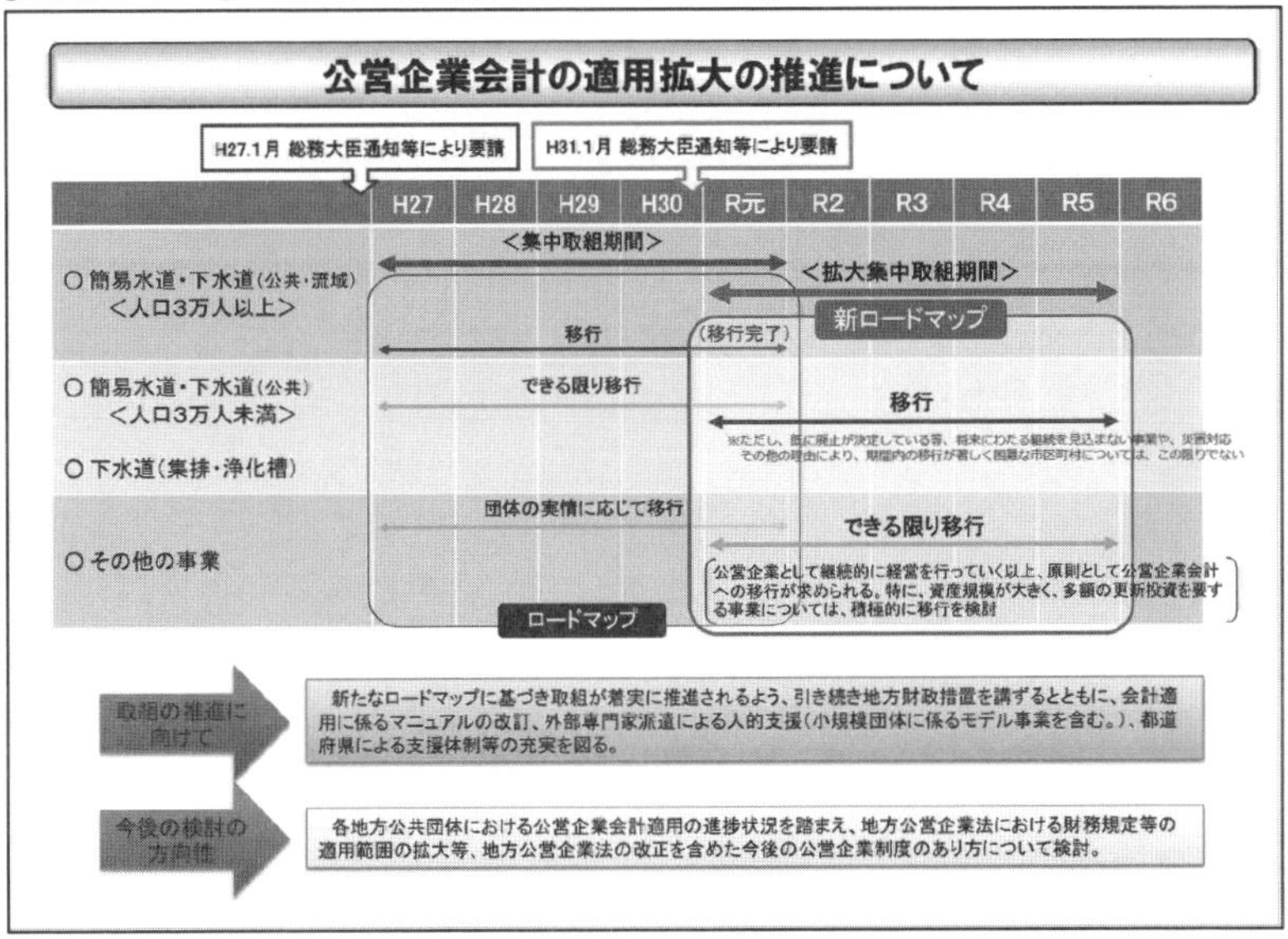

（総務省資料より抜粋）

ますが、財政状態や経営成績の比較の点からも、法適用企業化が求められています。

総務省は「地方公営企業法の適用拡大等に関する調査研究会報告書～公営企業会計の更なる適用拡大に向けて～」（平成31年3月）を公表しました（【図表2－8－1】参照）。

同報告書では、公営企業が、将来にわたって持続可能なストックマネジメントの推進や適切な原価計算に基づく料金水準の設定をすることは、公営企業会計の適用により得られる情報が必須となること、加えて、広域化、民間活用等の抜本的な改革の推進に当たっても、公営企業会計に基づく財務情報を関係者間で共有することが有効とされました。

その上で、「新ロードマップ」が策定され、平成31年度（令和元年度）から令和5年度を「拡大集中取組み期間」とし、下水道事業及び簡易水道事業を引き続き「重点事業」と位置付け、人口規

【図表 2-8-3】「地方公営企業法の適用に関するマニュアル（平成 31 年 3 月改訂版）

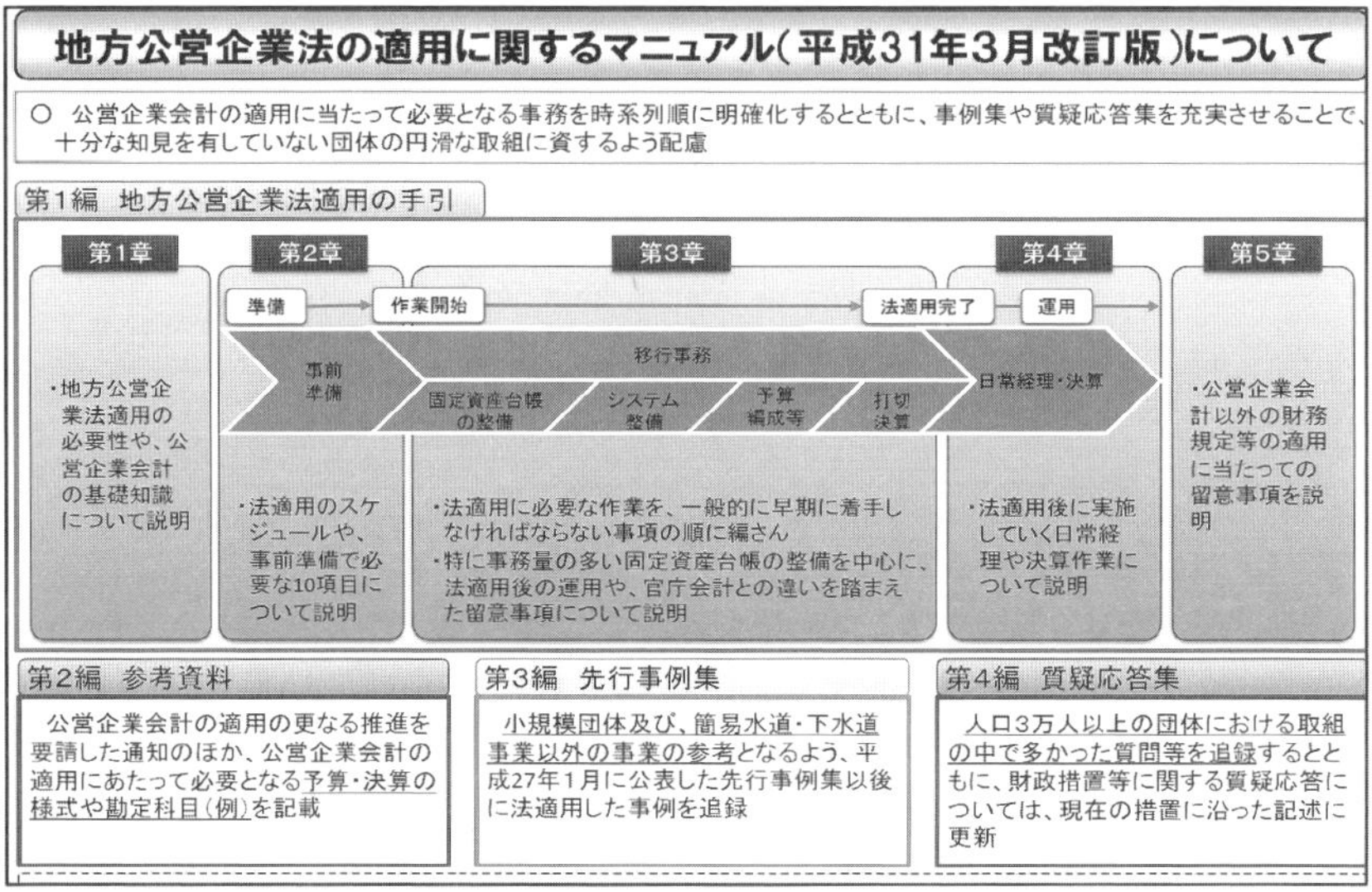

地方公営企業法の適用に関するマニュアル(平成31年3月改訂版)について
○ 公営企業会計の適用に当たって必要となる事務を時系列順に明確化するとともに、事例集や質疑応答集を充実させることで、十分な知見を有していない団体の円滑な取組に資するよう配慮
第1編 地方公営企業法適用の手引
第1章
第2章
第3章
第4章
第5章
準備
作業開始
法適用完了
運用
事前準備
移行事務
固定資産台帳の整備
システム整備
予算編成等
打切決算
日常経理・決算
・地方公営企業法適用の必要性や、公営企業会計の基礎知識について説明
・法適用のスケジュールや、事前準備で必要な10項目について説明
・法適用に必要な作業を、一般的に早期に着手しなければならない事項の順に編さん
・特に事務量の多い固定資産台帳の整備を中心に、法適用後の運用や、官庁会計との違いを踏まえた留意事項について説明
・法適用後に実施していく日常経理や決算作業について説明
・公営企業会計以外の財務規定等の適用に当たっての留意事項を説明
第2編 参考資料
公営企業会計の適用の更なる推進を要請した通知のほか、公営企業会計の適用にあたって必要となる予算・決算の様式や勘定科目(例)を記載
第3編 先行事例集
小規模団体及び、簡易水道・下水道事業以外の事業の参考となるよう、平成27年1月に公表した先行事例集以後に法適用した事例を追録
第4編 質疑応答集
人口3万人以上の団体における取組の中で多かった質問等を追録するとともに、財政措置等に関する質疑応答については、現在の措置に沿った記述に更新

（総務省資料より抜粋）

模を問わず、公営企業会計へ移行することを求めています（【図表2－8－2】参照）。

また、新ロードマップに基づく取組みに対する促進策として、公営企業会計の適用に関するマニュアルの充実、「公営企業経営アドバイザー派遣事業」及び「公営企業経営支援人材ネット事業」といった人的支援制度の拡大、小規模団体を対象としたモデル事業の創設、都道府県による市区町村の取組みへの包括的な支援、きめ細かい支援を行うこととされました。

総務省が公表した「地方公営企業法の適用に関するマニュアル（平成31年3月改訂版）」（【図表2－8－3】参照）の「第3編 地方公営企業法の適用に関する先行事例集」では、例えば、下水道事業のうち、人口10万人以上の団体として、神奈川県茅ヶ崎市、静岡県富士市、愛知県岡崎市、兵庫県姫路市、山口県防府市、香川県高松市、埼玉県などが、そして、人口3万人未満の団体として、北海道枝幸郡枝幸町、北海道更別村、愛媛県伊予郡砥部町などが掲載され、大変参考になると思われます。

⑵ 質問案

Q１　地方公営企業法が下水道事業に適用されると、雨水が公費、汚水が私費という考えから、すべて使用料で賄うということになるのでしょうか。一般会計からの繰入金はどのように扱われるのでしょうか。

Q２　企業会計への移行は、むしろ市民の負担が増加することになるのではありませんか。

Q３　地方公営企業法適用によって独立した経営執行になるとのことですが、定期監査から例月出納検査に変わると、むしろ地方公共団体の関与は増すといえませんか。

Q４　契約締結において、議決が不要になると、放漫経営になり、不正や粉飾決算が生じるのではないですか。

３　経営戦略及び抜本改革

⑴ ポイント

総務省は、「経営戦略策定・改定ガイドライン」及び「同マニュアル」（平成31年３月）などを公表し、「経営戦略」の策定を推進しています。ここで「経営戦略」とは、「各公営企業が、将来にわたって安定的に事業を継続していくための中長期的な経営の基本計画」であるとし、「施設・設備に関する投資の見通しを試算した計画（投資試算）」と「財源の見通しを試算した計画（財源試算）」を構成要素とし、投資以外の経費も含めた上で、収入と支出が均衡するよう調整した「収支計画を中心とする「中長期的な経営の基本計画」」のこととしています。加えて、「経営戦略」に、組織効率化・人材育成や広域化、PPP（Public Private Partnershipの略：官民連携）／PFI（Private Finance Initiative：民間資金主導）等の効率化・経営健全化の取組みについても必要な検討を行い、取組み方針を記載することを求めています（【図表2－8－4】参照）。なお、「経営戦略」策定に当たっては、公共施設等総合管理計画を十分に踏まえる必要があることは言うまでもありません。

さらに、総務省は、従来から取り組んできた公営企業についての抜本改革（事業廃止・民営化・民間譲渡、広域化・民間活用等）についても、「公営企業の経営のあり方に関する研究会報告書（平成29年3月）」を公表することなどによって、推し進めています。具体的に、地方公営企業の抜本的な改革は、①事業そのものの必要性及び公営で行う必要性、②事業としての持続可能性、③経営形態（事業規模、範囲及び担い手）の三つの視点から行われ、「抜本的な改革」と「「経営戦略」の策定」とは表裏一体のものとされています。そして、各公営企業において、事業ごとの特性に応じて、事業廃止、民営化・民間譲渡、広域化等及び民間活用という四つの方向性を基本として抜本的な改革を検討する必要があるとしています。そのため、各地方公共団体・地方公営企業は、「経営戦略」のPDCA（Plan計画→Do実行→Check評価→Action改善）の4段階の過程で、公営企業で行う事業の必要性、持続可能性・存続可否、経営形態の変更等、公営企業経営の在り方を検討する必要があります。つまり、地方公営企業の提供するサービスが公共の福祉の観点から必要であって、他の手段がないか、そして、継続的に供給する必要がある場合には、公共性と企業性のバランスを取りながら、どのような組織形態または方法手段が適切かを検討することが求められます。

【図表2-8-4】経営戦略の中心となる「投資・財政計画」策定の流れ

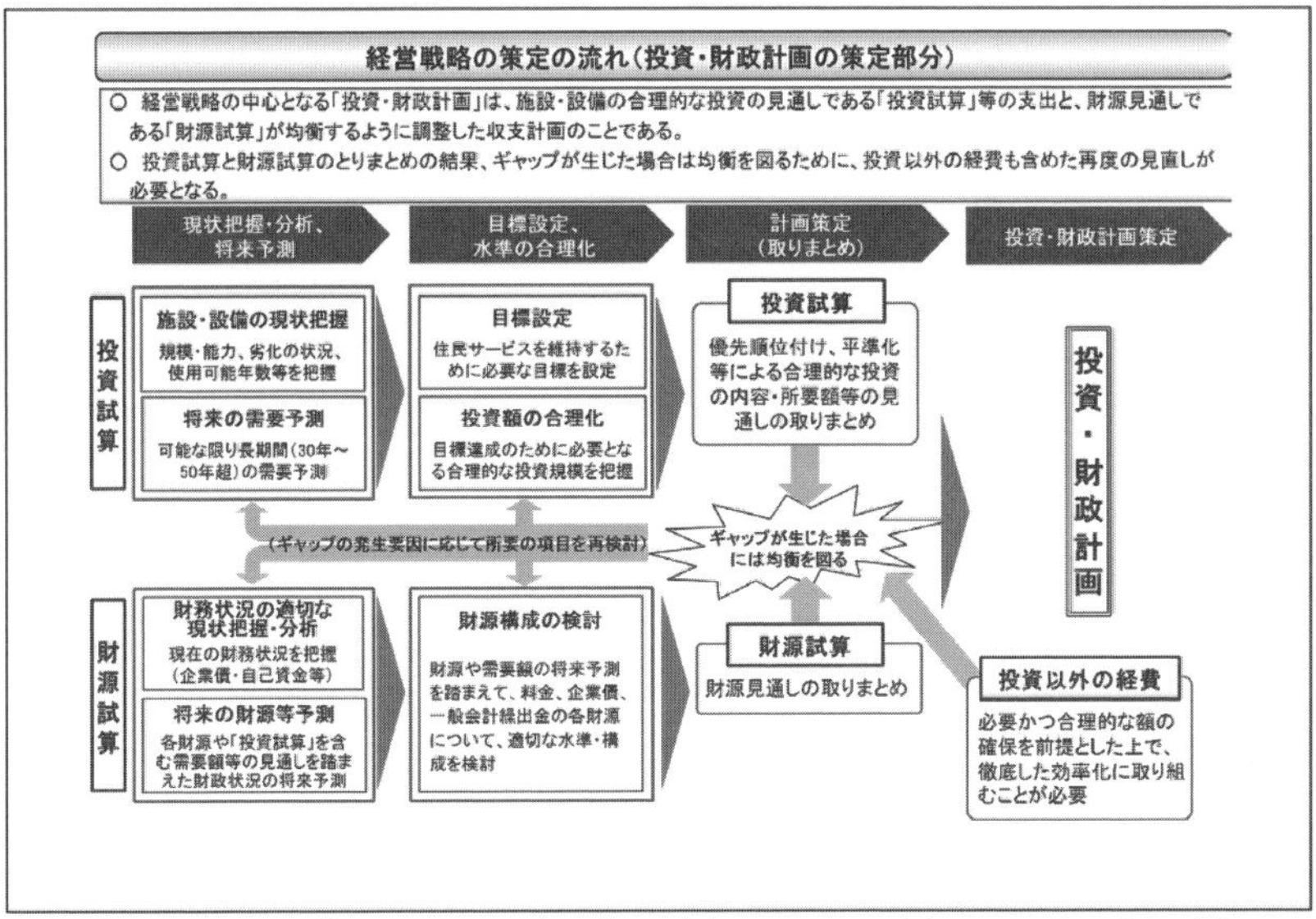

総務省から平成31年4月に公表された「地方公営企業の抜本的な改革等に係る先進・優良事例集」では、経営を民営化した事例などが掲げられています（**【図表2－8－5】**次頁参照）。人口の高齢化と減少化から収益も減少し、地方公共団体それぞれが財政負担を軽減するために取り組んでいる事例ですので大変参考になります。

例えば、交通事業の例（**【図表2－8－6】**次頁参照）では、北海道函館市、神奈川県横浜市、兵庫県尼崎市、広島県呉市、愛媛県松山市、長崎県松浦市、熊本市、鹿児島県薩摩川内市などがあげられています。

地方公共団体それぞれが、交通事業に対してサービスの質の向上を図りつつ生活上必要な移動手段として地域の足を確保しながらも、公営交通事業のコスト高や赤字体質脱却等の財政の健全化に腐心しています。民営化や民間譲渡を含めた選択肢を検討し、地方公営交通事業の在り方を模索しています。今後も、各地方公共団体は「経営戦略」を策定し、ＰＤＣＡサイクル

【図表 2-8-5】 自治体病院を民間病院と連携させた青森県の先進事例

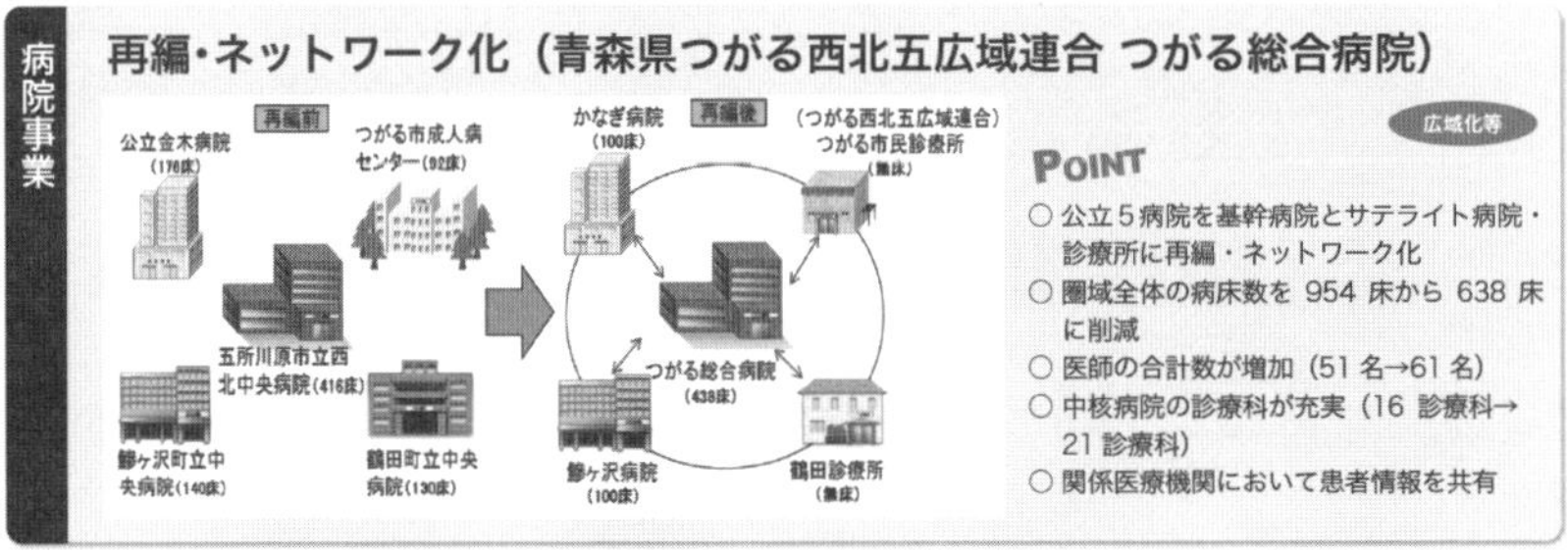

【図表 2-8-6】 公営バスの「民営化・民間譲渡」（尼崎市）と「民間活用」（横浜市）の先進事例

総務省・地方公営企業の経営改革優良事例集より抜粋

を通じて、それぞれの事情にあった改善策を実施していくことが期待されます。

(2) 質問案

Q1　経営戦略の策定が要請されていますが、現在の進捗状況は？経営戦略の策定が遅れているようですが、その要因と背景は？

Q2　施設の更新・改良に対応する戦略について中期・長期計画の中でどのように位置付けていますか、優先順位、達成見込みはどのようになっていますか？

Q3　目標達成のための組織体制の見直しは？

Q4　経営戦略の達成状況の進捗管理と、住民への公表はどうなっていますか？

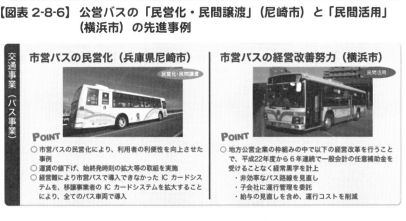

Ｑ５　使用料・料金の負担について住民への周知はどのように行うのですか？経営戦略は喫緊の課題である老朽化や長寿命化の対応をすれば良いのではないですか？

４　最後に

以上のように、地方公営企業の経営状況等を比較可能な形で把握し、中長期的な経営の姿を的確に見通すことができる公営企業会計の適用が進められています。そして、中長期的な経営の基本計画である「経営戦略」の策定や、広域化、民間活用などの地方公営企業の抜本改革がされています。

市町村議員の方は、厳しい質問をされ、地方公営企業改革の議論が活発になることを期待しています。

第９章　議会における公会計情報の活用　海外先進事例の予算管理に学ぶ

１　議会審議と予算決算管理

ここまで述べてきましたように、我が国の自治体は企業会計に準じた財務書類をすでに作成して決算の補足・参考情報としています。自治体の会計を複式簿記にしたがいフローとストックの両面から記録し報告することは、諸外国での改革を踏まえて実施されていますが、その目的は自治体行政の説明責任の強化と効率性の向上にあるとされています。しかしながら、行政部局での公会計情報の活用

【図表 2-9-1】 議会統制の対象と局面

次元	財務	非財務
事前	予算　（Ⅱ）	計画　（Ⅰ）
事後	決算・公会計　（Ⅲ）	業績報告・評価　（Ⅳ）

は十分でなく、行政を統制する側の議会がどのように活用するかが問われています。そこで、本章は、我が国より先行して企業会計的な財務報告を導入した**先進都市では、どのように議会が関与し、活用を図っているか**についてみていきます。

市民の代表からなる議会の役割は事前統制と事後統制に区分され、事前では計画や予算の審議・議決、事後では決算や財務報告の審議（・承認）と業績評価・審査が主要な役割です。情報が財務か非財務か、時点が事前か事後かで**【図表２－９－１】**のように整理できます。我が国での公会計情報や他国の財務報告は図のⅢに位置します。事後統制の大きな役割は説明責任の検証であり、財務面で決算が主要な局面になりますが、財務報告や公会計では財政運営や状況を示すにとどまり、企業の利益のように行政の成果（公共の福祉の増進など）を測定する段階には達していません。そのため、説明責任を検証するにもⅢの決算とⅣの業績評価・報告をセットで分析し費用（資産や資本）対効果の情報を得る必要があります。このことは事前統制においても同様で、資金や資源の調達と配分を行うⅡの予算において期待される成果や効果及びその時期などを特定化したⅠの計画がセットで検討されないと、単なる財務管理の手段や統制になります。換言すれば、この４象限が情報として統一的に管理され相互に連携される必要を示します。我が国の行政評価は、費用・成果・目標・人員の計画と実績を複数年にわたって報告する様式を多くの自治体が採用し、問情報内容としては財務・非財務と事前・事後の観点を含んだ包括的なものです。問題はⅣの情報がⅡの予算に体系的かつ迅速に反映する仕組みがないことです。この情報の統合・連携に積極的に取り組んでいる外国の事例を以下に見てみましょう。

２　予算と決算の対比

最初の事例は、予算と決算、つまり財務面での事前と事後を同じ基準で記録管理し、議会で審議するものです。我が国では決算段階のみ発生主義の企業会計に準じた財務書類を公式の決算書とは別に作成しますが、オーストラリアでは連邦政府も地方政府・自治体とも、オーストラリア会計基準（ＡＡＳ）にしたがって作成される**財務諸表が公式の決算書**になります。包括利益計算書、資金収支計算書及び財政状態表が基本財務諸表です。会計は公的部門・民間部門を区別しないセクター・ニュートラルな基準ですので、国際財務報告基準（ＩＦＲＳ）に準拠しています。我が国では自治体の財務書類の他、国の財務書類でも、損益計算で税収等は収益に含めない行政コスト計算書を採用し、費用が収益に先行して掲記され、また、貸借対照表（財政状態表と同じ）では固定資産が流動資産に先行する固定性配列となっています。しかし、**パース市では基本的に企業会計と同じで収益が費用に先行し、流動資産が固定資産より先に掲記**されます。また、年度予算においても、包括利益計算書及び資金収支計算書が予算書として作成し審議・議決されます。なお、財政状態表は予算では一覧表としてでなく純流動資産、固定資産、借入、余剰の項目として注記で記載されますので公式な予算書を構成しません。このため、西オーストラリア州都のパース市の場合、**【図表２−９−２】**に示すように**決算において予算と同じ発生主義ベースで比較表記**されます。その意味で財務的な説明責任について予算

【図表 2-9-2】 パース市の連結財務諸表（2018/19 年度）

（単位：千豪ドル）

包括利益計算書		
経常収益	実績	予算
租税収入	92,515	90,190
利用料等	114,146	110,827
計	206,661	201,017
経常費用		
人件費	78,297	78,297
物件費	47,542	52,144
減価償却費	35,181	36,371
その他	33,383	31,413
計	194,403	198,225
経常利益	12,257	3,178
評価損益等	4,527	-
純利益	7,730	3,178
その他の包括利益	144	-
総包括利益	7,875	3,178

財政状態表	
流動資産	166,099
非流動資産	1,152,896
計	1,318,995
流動負債	41,712
非流動負債	10,498
計	52,210
純資産	1,266,785
累積余剰	692,525
積立金	104,338
再評価余剰	469,921

資金収支計算書	実績	予算
業務活動によるｷｬｯｼｭﾌﾛｰ	52,628	35,570
投資活動によるｷｬｯｼｭﾌﾛｰ	△38,933	△53,303
財務活動によるｷｬｯｼｭﾌﾛｰ	△7,448	△7,448
当期のキャッシュ増加	6,246	△25,182

準拠性を含めて検証することに優れているといえます。我が国では現金主義の予算と発生主義の財務書類を対比しても比較可能性はありませんし、予算準拠も検証できません。ただし、この方式は財務的な事前及び事後の統一は満たすものの、業績測定や報告制度は予算や財務報告と別の体系となってお

り、プログラム別の費用を包括利益計算書で示すにとどまっています。

3　予算循環の情報連携・統合化

それでは財務と非財務を統一化して予算・決算に反映しているところはないかという話になります。財務管理と業績管理を事前・事後に統合するというイメージでよいと思います。これに果敢に取り組んでいるのがカナダのトロント市です。

カナダもオーストラリアと並び財務管理の発生主義化が進んでいますが、カナダ公会計基準審議会（PSAB）がカナダ公会計基準（CPSAS）を作成し、連邦及び州・地方政府はこの基準を適用しています。公的部門の特性を考慮した基準ですので国際財務報告基準と異なり、業務及び累積余剰計算書、財政状態表及

【図表 2-9-3】 トロント市の連結財務諸表（2018 年度）

業務及び累積余剰計算書(単位：百万カナダドル)

収益	
税収	4,350
政府移転	3,505
利用料	3,255
その他	2,630
計	13,740
費用(プログラム別)	12,306
当期余剰	1,434
年度初累積余剰	23,740
年度末累積余剰	25,174

財政状態表	
財務資産	11,296
負債	19,384
純負債	△8,088
非財務資産	33,262
累積余剰	25,174

資金収支計算書	
業務活動によるｷｬｯｼｭﾌﾛｰ	3,426
資本活動によるｷｬｯｼｭﾌﾛｰ	△3,181
投資活動によるｷｬｯｼｭﾌﾛｰ	929
財務活動によるｷｬｯｼｭﾌﾛｰ	583
キャッシュの純増加	1,757
期首ｷｬｯｼｭ残高	1,869
期末ｷｬｯｼｭ残高	3,626

び資金収支計算書から構成されます（【図表2－9－3】参照）。勘定科目の配列はパース市のものと同じく企業会計に似ていますが、費用は目的別・プログラム別に計上されています。

最大の特色は、予算書においてプログラムごとに戦略計画と業績測定及び人員（定員）に関する実績と予測が、財務データの前年度決算、当年度（予算編成時）実績予測と次年度予算と合わせて計上され、審議対象となり市民にも事前公開されていることです。また、予算は資源調達と配分の計画ですから、プログラムや施策の経費とその財源はどこかを示しています。これは、我が国を含め、行政評価表には特定財源や受益者負担以外は一般財源として掲記されていますが、予算書には現れていません。歳出と歳入が個別項目の合計として均衡することを示すにすぎません。たとえば、経済及び文化振興のプログラムでは、展覧会・美術会の開催回数や事業数などの活動目標が前年度、本年度予定(projection)、予算（次年度）年度と示されています。アウトカムは「都市への親密（愛着）感と幸福度を増大しトロントでの生活の質の改善」という定性的な記述になっていますが、毎年度の予算では単年度で管理可能な活動レベルに設定しています。

この方法は、予算循環を毎年度ＰＤＣＡ的に廻していこうとすると、翌年度（ｔ＋１）の予算策定で実績値が入手できるのは前年度（ｔ－１）で2年遅れになる限界を克服するものといえます。最新の当年度（ｔ）の実績予測を行うことでｔ年度の結果をｔ＋１年度の予算に反映することを可能にします。当然、そのためには活動から遅れてもたらされる成果の測定を断念して行政の活動に着目する論理です。ただし、トロント市の予算は経常（運営）予算と10か年の資本予算に区分され審議されますので、修正現金主義で財務報告の発生主義と異なります。財源が経常予算と資本予算で違い、公債発行などが可能な資本予算と区分するという資源調達の差異を踏まえたものです。しかし、パース市のように予算と決算・財務報告が同じ発生基準でなくなる制約が出てきます。そこで、経常予算と資本予算を発生主義で認識した場合の収支と差額の調整項目の説明を予算書で補足しています。

トロント市と似た方法で財務と非財務を連携している都市に米国のデンバー市があります。米国の地方政府は政府会計基準審議会（GASB）にしたがった基金会計の発生主義を財務報告に適用しています。予算は修正現金主義で、カナダのように発生主義に割り戻した場合の調整表などの作成はされていません。しかし、予算書に施策毎に業績目標、性質別、活動別の支出と財源及び人員（定員）並びに過去の実績、本年度の執行予測(estimation)及び次年度（予算）の情報が記載され、実績の予算への早期反映が実現されています。さらに注目されるのは、**市民の納税意識と予算への参加・理解を促すため、所得、消費額（購入額）、住宅保有の有無及び価格を入力すれば、どれだけ受益を受けているか（分野別の歳出予算額）をウェブ上で開示し、各自の納税額と対比できる**ようになっています。また、コロナ関連の予算を特別に区分しています。

4　わが国への教訓と改革提言

外国での先進事例は、もちろん、議会が議決だけでなく執行の責任も担う方式で我が国の二元代表制での議会と役割が異なることを踏まえる必要があります。しかしながら、議会が市民に対して説明責任を果たし、執行の効率化にも寄与することは同じです。また、主権者としての市民に審議決定への参加機会を与えることも重要です。我が国では近年、カネに係る公会計制度改革以外に、ヒトにつ

【図表 2-9-4】マネジメントのシステムとしての考え方：投入と供給側の視点

資源	アクター	組織	制度	改革
カネ	行政（徴税者・借入者・資金管理者）	財政課・会計管理者・監査委員	財政（予算・決算・監査）	公会計改革
ヒト	行政（雇用主）	人事課・職員課・人事委員会	定員・給与水準の管理	会計年度契約職員
モノ	行政（所有者・管理者）	管財・所管課	公有財産・固定資産管理	固定資産台帳の整備

いては働き方改革の一環として会計年度任用職員制度の導入、モノについては人口減少と更新需要の急増に対応するための公共施設等総合管理計画やその前提の固定資産台帳の整備などが進められてきました。

一連の改革はそれぞれ意義あるものですが、ヒト、モノ、カネの資源の種別にアクター・組織・制度で対応するものです（【図表2―9―4】参照）。公会計改革による財務書類においてカネとモノの関連付けが決算段階でなされ、また、業績評価の段階で行政評価制度によりヒト、カネと活動・成果という業績の情報が体系化されています。ただし、ヒト、モノ、カネの資源及びその投入や結果としての業績に関する体系化が財務と非財務及び事前と事後でなされていません。予算書は基本的に歳入及び歳出の科目別の金額が主たる情報で、人員、成果や活動に関する情報は盛り込まれていません。我が国の財務書類も国際基準なみに整備されてきましたし、事業別のセグメント情報や財務諸表を作成する自治体もでてくるなど技術的には外国の先進事例を超えるといっても過言ではありません。

したがって、我が国で必要なことは、計画・評価と予算及び財務報告の3つの（人事管理を含むと4つ）のシステムを体系化して、予算で包括的な情報開示にすることで予算管理、業績管理、人事管理、説明責任の向上につなげ、議会統制の質の改善を図ることでしょう。行政のデジタル化・情報化が強力に推進されようとしている今、計画システム、行政評価システム、財務会計システム、公会計システム、人事システム、施設管理システムの統合・連携が必要です。縦割りの見直しとは、資源別の管理で異なる所管となっていることの改善と資源の投入・消費・活動・成果を横くしに管理する体制の確立です。議会審議においても基礎自治体では常任委員会では総務系の委員会が予算・決算・計画・評価を扱っていますから、行政部局よりも資源全体と成果を予算循環過程にわたって総合的に把握し審議できる環境にあると考えられます。**議会が主導して、公会計情報を決算の参考情報という事後統制の財務面の資料にとどめず、予算や非財務の事前・事後の統制にも資するよう他の資源情報や成果情報と関連付けることが期待されます。**デンバー市で行われている納税者単位の自治体の歳出推計（家計に対するサービス）も参考にされてよいと思います。

第10章 公共施設の使用料・適正配置・長寿命化などの議会審議におけるコスト情報の活用

1 はじめに

この章では、各種公共施設の運営コストの情報を議会審議で活用する場面について考えてみます。財務書類の情報をもとに、施設、事業等のより細かい単位（セグメント）で財務書類を作成し、コスト等の分析を行うことをセグメント分析といいます。

公共施設の使用料・適正配置・長寿命化などを議会で審議するためには、対象施設の物理的状態や性能、利用状況などの他に、施設を運営するのに要するコストの状況を把握することが必要でしょう。その情報は、すでに作成されている市町村全体の行政コスト計算書を元にして、当該施設にかかる分のコストを抜き出し施設単位の計算書を作成することで得られます。

ところが、この単位（セグメント）別の財務書類は、単位をどのレベルに設定するか、コストの範囲をどこまでとるか等を一概に決められないこともあり、新地方公会計基準でも作成を義務づけるまでには至っていません。そういう事情に加え、各自治体が自らの必要性（目的や用途）に応じて、会計情報を加工することをハードルが高いと感じてしまうこともあって、「施設別・事業別等の行政コスト計算書等の財務書類を作成した」とする市区町村は全国で90団体（全体の5・2％）に止まっているのが現状です。[1]

しかし、新しい公会計情報は、行政当局が住民や議会等に対して説明責任を果たす目的（アカウンタビリティ）のみならず、より効率的・効果的な行財政運営に資する目的（マネジメント）にも有用ですので、これを活用しない手はありません。特に、施設別行政コストの情報は、公共施設等管理計画や施設使用料算定等の政策判断に重要な要素となりますので、先進的な市町村ではその活用方法に一段と磨きをかけています。

まずは、公共施設の管理に施設別行政コスト情報を活用している市町村の事例を見ていきましょう。

2 公共施設の管理に公会計を活用した事例

(1) 施設使用料の算定指針

千葉県浦安市では、2005年度に施設使用料等の受益者負担の適正化を図るため、施設等の「発生主義ベースの行政コスト」と「サービスの質で区分した受益者負担率（5段階）」を計算基礎とする使用料等の算定指針を策定しました。

施設別行政コストは、償却資産（建物・備品等）にかかるコスト、経常的維持管理経費、人件費に3分類して計算し、集計する方式をとっています。このうち償却資産にかかるコストは固定資産台帳から当該建物等の減価償却費を抽出し、起債による場合は債務負担行為利子額も加算します。経常的維持管理経費については当該施設にかかる需用費、役務費、委託料等を歳出決算額により記入。それに対して、人件費は、実績での配賦は行わず、当該施設における実績人員に別途計算した標準単価を掛けて計算します。これは、実際の人件費では同じ能力・職種の人であっても経験年数の差や正規職員か否か等で金額に大きな開きが出ることがあり、年度間の推移等をみるのには標準単価の方がよいと判断したためです。

一方、行政コストに対してあるべき負担の水準は、施設等の種類に応じて、利用する市民の不特定性、地域連帯・健康・文化等への寄与度、民間等との競合性等を勘案して設定した5段階（100％負担から0まで25％刻み）を適用しています（**【図表2－10－1】**参照）。

指針では、使用料等の水準は原則として3年を目途に見直すこととしており、同市ではその後も定期的に、直近の公会計情報に基づき使用料等の改定を行ってきています。また、発生主義にすると一

【図表 2-10-1】使用料等の公費・受益者負担（区分）基準（浦安市）

区分	内容	具体的事例（一部の記載を省略）	受益者負担率
全面的に受益者が負担するもの	・特定の市民が対象であり、利用も特定されるサービス ・便益が特定されるサービス ・民間等と競合するサービス ・公営企業的なサービス	自転車駐車場（指定有）、下水道、墓地公園、桟橋	100%
大部分を受益者が負担するもの	・一部の市民が対象であり、利用が特定されるサービス ・民間等との競合的なサービス	独居老人住宅、保育園、幼稚園	75%
公費と受益者で負担するもの	・全市民が対象で必要に応じて利用でき、広く地域の連帯、健康の増進や文化的生活に寄与するサービス ・民間等との競合性もあるサービス	保養所、自治会館、文化会館、自転車駐車場(指定無)、公民館、野球場、テニスコート、サッカー場、パターゴルフ、総合体育館、屋内水泳プール	50%
大部分を公費で負担するもの	・全市民が対象であるが、利用が特定されるサービス		25%
全面的に公費で負担するもの	・全市民が対象であり、広く地域の連帯、健康の増進や文化的生活に寄与するサービス	道路、公園、図書館等	0%

（出典）浦安市財政課「使用料等設定及び改定基準について（指針）」

時的に算出コストが高くなるケースもあるので、同市では使用料等の改定の幅に1・5倍までという上限を設け、段階的に適正化を図ることで議会等の理解を得てきているそうです。

(2) 公共施設の適正配置・長寿命化に向けた検討

熊本県宇城《うき》市では、2005年の5町合併による新市誕生以来、財務会計システムに地方公会計を積極的に取り入れ、独自の工夫による改良を重ねてきました。その結果、同市では市内すべての公共施設（約230）について、施設別の行政コスト・資本支出額を計算することが可能となっています。

このデータを活用したのが公共施設の適正配置に向けた検討です。宇城市では合併前の旧町がそれぞれ同種の公共施設をかかえ、その多くが老朽化していました。厳しい財政状況の下で、施設の維持管理費が年38億円、しかも経常的一般財源の支出であり、合併のメリットを生かすためにも施

【図表2-10-2】2014～16年度の主な公共施設の適正配置（宇城市）

1 支所の見直し	5施設を4施設
2 養護老人ホームの民間移譲	1施設
3 幼稚園の廃止、保育園の民間移譲	2施設
4 海技学院の民間移譲	1施設
5 保健センターの機能集約	2施設
6 図書館の機能集約及び統合	2施設
7 郷土資料館の統合	1施設
8 震災による体育館の解体	1施設
9 公民館の機能移転	1施設
10 指定管理施設への移行	24施設

（出典）宇城市「公共施設等総合管理計画（改訂版）」

設の統廃合を含む抜本的な検討について、市民の理解を得る必要がありました。ここで大きな役割を果たしたのが、２００８年に初めて作成した「施設白書」です。

「施設白書」では、すべての公共施設について、施設の地域性（利用圏域）、利用状況、維持管理費用、改修・建替えの必要性（老朽化度）を基本的な軸として、施設評価を行っています。統廃合のようなセンシティブな問題を市民の納得を得て進めてゆくには、多角的・総合的な視点から公正で正確なデータにより施設の効用の程度を示すことがとりわけ必要です。コスト（維持管理費用）はその一要素に過ぎませんが、信頼できる施設別行政コストを元にデータを提示できたことは同市の強みと言えるでしょう。「施設白書」により各施設の評価を比較することで住民の理解を促進しながら、個別施設の方向性を導いていった結果、宇城市では旧町ごとに存在していた公民館・図書館の統廃合をはじめ、**【図表2－10－2】**のような公共施設の適正配置が実現し、物件費の抑制に成功したのです。

これらの公共施設管理の実績を踏まえ、宇城市は２０１５年に道路、橋梁等のインフラ施設も加えた「公共施設等総合管理計画」を策定。その後、熊本地震による被災等を経て、２０１８年に改訂された現計画では、計画期間を40年間（10年毎に検証）に延長して、人口動向の推計と施設の更新費用の見通しを示しています。

そこでは、公共施設等更新費用試算ソフト（総務省）を使用して、建築系公共施設について現状規模のまま大規模改修や更新を行うと仮定した場合に今後40年間で１１６５億円、道路などの土木系公共施設についても同じく１３３５億円の更新費用がかかると試算しています。また、維持管理費用についても、施設別行政コストの実績データから現状のままでは建築系公共施設全体で年間24・８億円の費用がかかるとしています。

一方で、40年後の人口は現在の60％まで減少する推計値となっており、それらを踏まえて今後40年間の公共施設管理の目標として、①公共施設等の長寿命化（建築系公共施設の目標耐用年数80年）、②公共施設等の保有量の最適化（建築系公共施設の総延床面積40％縮減）、③公共施設に係る行政コストの縮減（建築系公共施設の行政コスト40％縮減）を掲げています。

そして、この目標実現へ向けて、市は２０１９年に公共施設の適正配置・長寿命化に向けた新たな計画を公表しました。そこでは、「施設白書」で行った個別施設の評価に改良を加え、熊本地震の教訓や長寿命化の方針も取り入れて、①老朽化、②耐震化、③利用状況、④地域性、⑤コストの５項目を評価対象としています。これら評価項目の具体的指標は**【図表２－10－３】**のとおりです。

評価に当たっては各項目の指標を１～５点の評価点に換算しレーダーチャートで表すことにより、各施設の状況の可視化を行い評価します。この評価を元に、今後５年間の各施設の方向性を決定していく段取りですが、その過程で市民と問題意識を共有化し協働で課題解決に取り組むために、新「施設白書」の発行も予定しています。

このように、宇城市では施設別行政コスト（実績値）に加え、将来の更新費用や人口の推計も行い、持続可能な財政と公共施設の適正配置・長寿命化をめざして検討を続けています。

【図表 2-10-3】公共施設の評価項目と指標（宇城市）

評価項目	指　標
老朽化	建物の法定耐用年数に対する築後の経過年数割合
耐震化	耐震安全度（平成30年3月31日現在の状況）
利用状況	施設床面積1㎡あたりの年間利用者数（分類毎の施設平均利用者数と比較）
地域性	当該校区及び隣接校区を対象とした類似施設数と対象人口により評価
コスト	施設床面積1㎡あたりのH27行政コスト（分類毎の施設平均コスト値と比較）

（出典）宇城市「公共施設適正配置計画」

3　効率的・効果的なマネジメントにコスト情報をどう使うか

ここで改めて、行財政運営の効率性・効果とコスト情報の関係を整理しておきます。効率性とはインプット（投入物）に対するアウトプット（生産物）の比率であり、効果とはアウトプットがもたらす究極の政策目的達成度です。限られた予算で政策の効果を上げるには、まずは効率性の向上が重要な目標となります。しかし、地方公共サービスの場合にはインプットは金額で測定（つまりコストを算定）できますが、アウトプットについてはその範囲が広かったり質的な側面も含んだりして、認識も一様でないし金額での測定も困難を伴うことが多くあります。一定の仮定を置いてアウトプットや効果についても貨幣価値に換算する費用便益分析という手法（金額で表された便益がコストをどの程度上回るかをみる）もありますが、そこまでやるのは大がかりです。

そこで、アウトプットは一定と考えて、複数のケースについてインプットであるコストを算定し、比較検討することでより効率的な方策を見出すという簡便な方法が考えられます。施設使用料の事例では、行政コストに対してあるべき負担の水準が同レベルである施設群を特定し、それらの公共施設の間では負担の水準が同等になるように使用料を調整することで公平かつ効率的な公共施設の運営を実現しているといえます。

また、インプット、アウトプット、政策効果を厳密に区別せずに、これはと思う評価軸をいくつか設定し、総合的に施策や施設の評価を行うことも一法です。公共施設の適正配置に向けた検討の事例では、行政コストは五つある評価軸のうちのひとつでした。こうして得られた総合評価が住民の価値観等に照らしてバランスのとれたものであれば、やはり公平で効率的・効果的な方向性を導き出せるでしょう。

このように、効率性の向上やそれを通した政策効果の実現にコスト情報を活用する方法は工夫次第でいくらでもあります。貴自治体では重要な政策課題の検討にコスト情報が使われていますか？ここで紹介した事例を参考に、議会で当局の考えを質してみてください。

4　コスト情報の議会審議における留意点

コスト情報を用いて説明された施策を審議するとき、留意すべき点に行政コスト計算書に基づくコスト情報の限界の問題があります。行政コスト計算書などの財務書類は、統一された公会計基準に基づいて全国で作成され、そのおかげで各自治体間や過去との比較が可能となっています。

しかし、例えば固定資産の評価は取得時の原価と一定の耐用年数によって計算されており、施設更新時に取得原価が大幅に跳ね上がる場合や固定資産の耐用年数が過ぎて減価償却費が急減する場合など、資産管理のための情報としてそのまま使うには不十分なケースもあるのです。また、人件費についても、浦安市の事例で人件費は実際原価ではなく標準単価方式を採用しているように、マネジメントの目的に応じて加工するなどの工夫が必要です。この分野は管理会計(マネジメントのための会計)といわれるもので、現行公会計のデータを加工して使うときには専門家の意見を聞くなどの慎重な配慮が必要です。

貴自治体では施策等の分析にコスト情報を適切な方法で用いていますか？この点も議会が監視すべき重要なポイントです。

【註】

1　総務省調査（2020年3月末時点）による。

【参考文献】
秋吉貴雄・伊藤修一郎・北山俊哉『公共政策学の基礎〔新版〕』有斐閣、2015年
鈴木豊・山本清編著『実例　新地方公会計統一基準と財務書類の活用』中央経済社、2020年

第11章　新地方公会計に関する監査結果報告を活用した議会審議に関する具体的事例

1　議会に報告される監査等の結果[1]（以下、条文名のみが記載しているものは地方自治法）

地方公共団体における監査・審査等は、監査主体により二つに大別されます。

・**監査委員**（長が議会の同意を得て、人格が高潔で当該団体の財務管理、事業の経営管理その他行政運営に優れた識見を有する者及び議員から選任する、第196条ほか）**による監査**

・**外部監査人**（弁護士、公認会計士、税理士等と外部監査契約を締結、第252条の28第1項ほか）**による監査**

なお、外部監査のうち、**包括外部監査**は都道府県、指定都市及び中核市については同監査契約を義務づけられており、その他の市町村は条例により導入することができます。

両者の関係ですが、地方公共団体の監査を本来的に担うのは監査委員であることを基本としつつ、外部監査制度は地方公共団体の監査機能の独立性と専門性を強化するために、随時・臨時に監査を実施するものとして設けられたものと位置づけられています（**【図表2－11－1】**参照）。

(1) 監査委員が行う主な監査等と議会報告（◎は毎年度実施、○は必要と認めた場合実施）

◎（定期）財務監査（第199条第1項、第9項）

財務に関する事務の執行及び経営に係る事業の管理の監査（年1回以上）を実施し、監査委員は同監査の結果に関する報告を決定し、普通地方公共団体の議会及び長等に提出するとともに、住

【図表 2-11-1】 外部監査制度のしくみ

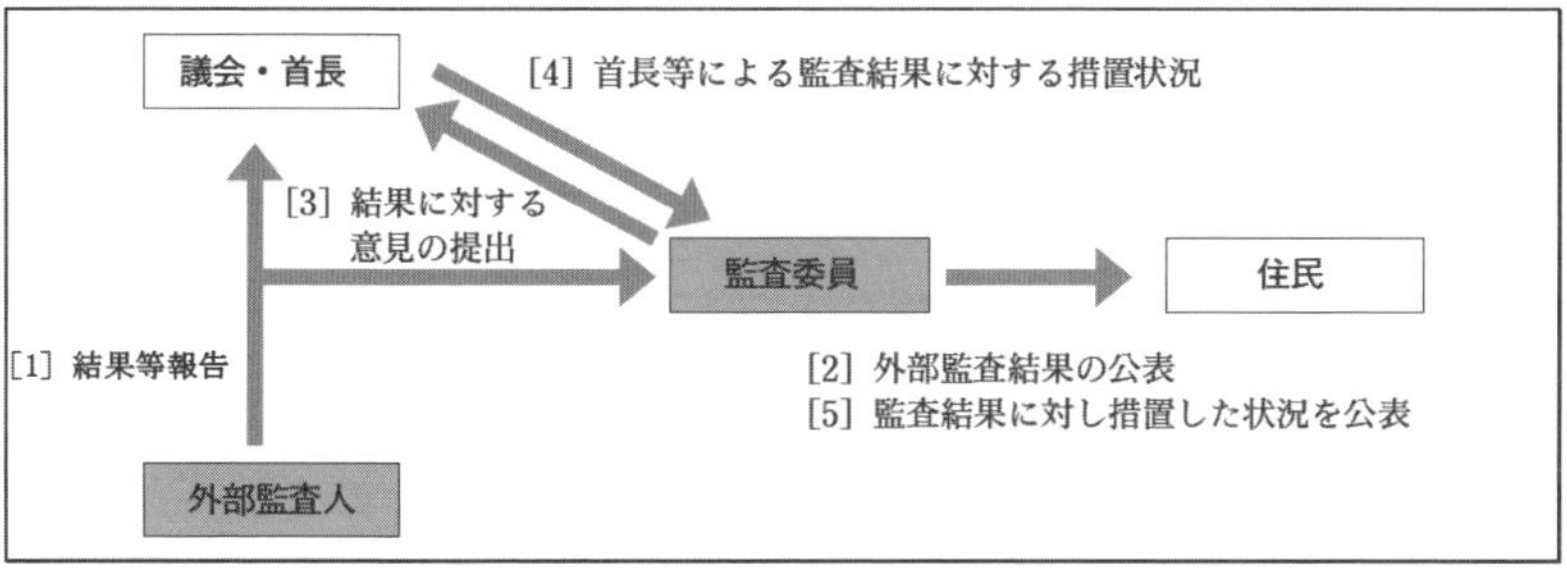

民に公表することとされています。

○行政監査（第199条第2項、第9項）

地方公共団体の事務の執行に係る監査を実施し、財務監査と同様に監査結果を議会等へ提出します。

◎一般会計、特別会計及び公営企業会計の決算審査（第233条第2項、地方公営企業法第30条第2項）、基金の運用状況の審査（第241条第5項）、健全化判断比率等の審査（地方公共団体の財政健全化に関する法律第2条ほか）

毎会計年度、出納の閉鎖後に、普通地方公共団体の長から決算及び証書類その他政令で定める書類を監査委員の審査に付し、当該決算関係書類と監査委員の意見を次の通常予算を議する会議までに議会の認定に付すこととされています。特定の目的のために定額の資金を運用するために設定した基金や、健全化判断比率等も同様に監査委員が審査し、長により議会の認定に付されます。

(2) 外部監査人が行う監査と議会報告

外部監査人のイニシアティブによる特定事件の監査（包括外部監査）や地方公共団体の長等の要求に基づく監査（個別外部監査）。

包括外部監査契約を締結した外部監査人は、監査対象団体の財務に関する事務の執行及び経営に係る事業の管理のうち、第2条第14項及び第15項の規定の趣旨を達成するため必要と認める特定の事件について監査し（第252条の37）、契約期間内に監査の結果に関する報告を決定し、監査対象である地方公共団体の議会、長、監査委員等に提出します。

2　新地方公会計の活用の現状と方向性[2]

この後、いくつかの地方公共団体における監査等の指摘事項や意見をご紹介しますが、これらの監査の視点・着眼点は、新地方公会計の整備・活用に関する総務省の「統一的な基準による財務書類の作成状況等に関する調査（令和2年3月末）」の調査結果にも表れているといえます。

この調査では、地方公共団体（全1788団体）のうち、固定資産台帳の整備（更新）済の団体が83・1%、平成30年度決算に係る一般会計等財務書類（財務4表）を作成済の団体が80・4%と毎年増加してきています。また、令和元年度中の財務書類等の活用状況は**【図表2－11－2】**のとおりでした。

こうしたことを踏まえて、総務省における新地方公会計制度に関する最新の「地方公会計の推進に関する研究会（令和元年度）」では、各団体に対して次のような要請を行っています。

⑴ 固定資産台帳の資産管理等への活用

固定資産台帳により自団体の資産に関する情報を網羅的に把握することが可能となるため、公共施設マネジメント分野、特に、公共施設等総合管理計画や個別施設計画の策定・見直しにおいて活用すること。

【図表 2-11-2】財務書類等の活用状況（令和元年度）

区分（複数選択可）	団体数
財務書類等の情報を基に各種指標の分析を行った	932
施設別・事業別等の行政コスト計算書等の財務書類を作成した	94
公共施設等総合管理計画または個別施設計画の策定や改定時に財務書類等の情報を活用した	164
公共施設の見直し等を行う際の検討材料として財務書類等の情報を利用し、施設の適正管理に活用した	87
決算審査の補足資料とするなど、議会における説明資料として活用した	227
簡易に要約した財務書類を作成するなどし、住民に分かりやすく財政状況を説明した	477
財務書類等の情報を基に、地方債の説明会において財政状況を説明した	22
上記以外の活用	61

(2) セグメント分析の推進

事業別セグメント分析により、直営・委託の業務形態の検討、受益者負担の検討等が可能となり、施設別セグメント分析は公共施設のマネジメントの分野において有用と考えられることから、まず、ひとつの事業や施設について取り上げてみるという取組が重要であること。

(3) 各種指標を用いた比較分析

現金主義・単式簿記では見えにくいコスト情報やストック情報の把握が可能となり、指標化することで経年比較や類似団体間比較等、複数の指標を組み合わせた散布図による分析などが有効であり、自団体の相対的な「立ち位置」の確認が行いやすくなること。

また、大変重要なこととして、「決算に関する議会での審議」に活用するためには、財務書類のタイムリーな作成・公表が求められること。

報告書では、期末一括仕訳から四半期、月次、日々仕訳へと入力の早期化を進める必要があるとし、また、直ちにはできないとしても、会計システム変更・更新の機会等を捉えて早期化に着手することも付言しています。

3　新地方公会計に関する「監査委員又は外部監査人による監査等の結果・意見」の事例と、これを受けた「新地方公会計に関する具体的な想定審議」

公会計に関する監査結果は多数ありますが、主に新地方公会計が導入・整備された後（平成28年度以降）に報告された監査結果等からその一部の事例を紹介します。[3]

なお、引用に当たっては紙幅の都合上、主旨を変えずに報告書等の一部を筆者が独自に抜粋・要約あるいは補記して掲載していることをご承知おきください（詳細は文末の引用先から原文を参照してください）。

(1) 大分県【平成30年度包括外部監査結果】、テーマ「公共インフラ施設の管理と老朽化対策に係る財務事務の執行について〜道路・港湾施設を中心として〜」[4]

【監査の結果・意見等】

・固定資産台帳の作成実務はまだ定着しているとは言えない。（略）適正な固定資産台帳が作成されるような仕組み（略）と内部統制を順次整備する必要がある。（略）最終的に固定資産台帳と貸借対照表の整合性を確保する期末の手続的なプロセス（略）を確立する必要がある。

・今後は、全県的・広域的な視野の中でインフラ長寿命化計画（行動計画）を策定するとともに、特に利用度が低下したインフラは、市町村、地元利用者とも協議を深め、最大限の有効活用を図る仕組みの構築（活用事例の研究等）を考える必要があろう。その努力をした上で、道がなければ、廃道・廃港に理解を求めるというステップを踏まざるを得ないと思われる。

・財務書類等の活用について、統一的な基準による地方公会計マニュアルでは、財務分析の観点から様々な指標を設けて活用すること、「行政内部での活用（マネジメント）」と「行政外部での活用（アカウンタビリティ）」の観点からも活用を促している。また、「固定資産台帳は、公共施設等総合管理計画に関連して、公共施設等の維持管理・修繕・更新等に係る中長期的な経費の見込みを算出することや、公共施設等の総合的かつ計画的な管理に関する基本的な方針等を充実・精緻化することに活用することも考えられる。」とされている。県において新地方公会計による財務書類や固定資産台帳をどのように活用するかは、今後の課題であり、他の地方自治体の事例等も踏まえて研究を進めていただきたい。

【想定される質問等】

○ 老朽化が進む公共施設の更新計画や、公共施設総合管理計画の着実な推進が要請される中、新地方公会計における財務書類の有効活用が必要と考えます。そのためには、今回の監査においても意見が付されているように、固定資産台帳の精緻化とそれを踏まえた財務書類の正確性が求められます。

固定資産台帳を正確に整備するために、その検証の仕組みすなわち内部統制の構築についてどのようなスケジュールでいつまでに進めていくのか伺います。併せて、公共施設等総合管理計画（老朽化した公共施設の更新、施設の総量抑制・長寿命化、複合化、集約化）に関して、地方公会計（制度）の活用をどのように行っていくのか方向性を伺います。

(2) 郡山市【平成30年度包括外部監査結果】、テーマ「新地方公会計制度における固定資産の認識とその有効活用について[5]」

【監査の結果・意見等】

・固定資産の計上時期、計上金額は妥当か、固定資産の費用配分すなわち減価償却費の計算の開始時期、耐用年数は妥当か、普通財産は有効活用しているかなど監査の視点とし、固定資産の計上漏れ、リース物件の資産計上誤りなどが指摘事項とされた。

・事業実施が困難な土地開発基金で保有する土地に関して、「10年以上経過し、当初に比し経済状況・社会情勢は大きく変化しており計画見直しは必須であろう。未使用資産の長期保有は長期間資金が固定化されてしまう。事業実施が確実なもの以外は保有すべきではなく、保有期間が20年を超えているものについては売却を検討すべき」との意見を付している。

【想定される質問等】

○ 提出された監査結果の指摘によりますと、固定資産や減価償却の計上時期・金額に関して改善すべき事項が散見されました。これを受けて台帳を正確に整備するために、仕組みの構築についてどのようなスケジュールでいつまでに進めていくのか伺います。

○ また、変化する社会・経済情勢や市民ニーズに対しても的確に対応すべきと考えますが、今回指摘された土地開発基金の保有土地も含めた長期未利用土地の活用についてどのように進めていく考えなのか伺います。

(3) **和歌山市**【平成30年度包括外部監査結果】、テーマ「公共施設マネジメントに関する財務事務の執行について」[6]

【監査の結果・意見等】

・施設規模適正化に関し、公共施設等総合管理計画の策定・改訂にあたっては、計画の実効性を確保するため、計画期間における公共施設等の数・延床面積等に関する（縮減）目標やトータルコストの縮減・平準化に関して、できる限り数値目標を設定するなど目標の定量化に努め、財政との整合性を持った目標として明確化することが望ましい。

・支所・連絡所及び隣接する設置目的が異なる施設については、老朽化に伴う建替えのタイミングで、それぞれの設置目的に合致する機能、例えば、集会スペースや避難所といった機能は残しつつ、複合化及び集約が可能か否か検討することが望まれる。

・統一的な基準による財務書類等は、平成30年6月時点、対応が遅れている状況である。

・改訂指針においても、毎年度適切に更新し、例えば点検・診断や維持管理・更新等の履歴など公共施設マネジメントに資する情報を固定資産台帳に追加するなど、公共施設マネジメントに資する情報と固定資産台帳の情報を紐づけて一元化することにより、保有する公共施設等の情報の管理を効率的に行うことや、固定資産台帳及び財務書類から得られる情報を総合管理計画に基づく具体的な取組等の検討においても積極的に活用することなどが推奨されているため、早急に整備を完了する必要がある。

【想定される質問等】

○ 固定資産台帳及び財務書類は公共施設マネジメントと密接に関連する情報であるため、統一的な基準による財務書類等については、平成27年1月の総務大臣通知のとおり、早急に整備を完了する必要があると考えます。その作成・公表に向けた進捗状況を伺います。

○ 人口減少・超高齢社会、生産年齢人口の減少という行財政運営では厳しい局面を迎えるなか、事業別（施設別）行政コスト計算書により得られる情報を活用した、使用料・手数料等受益者負担の適正化、事業の見直し・改善などの取組が求められますが、こうした行政コスト計算書のフルコスト情報の活用に関してどのように考えていますか。

(4) 東京都福生市【平成29年度行政監査報告書】、「決算説明書の作成について」[7]

【監査の結果・意見等】

・平成28年度決算では、一般会計で予算化された全ての事業について行政コスト計算書を作成したことで、多角的な評価や改善が可能となっている。加えて、（略）予算説明書に対応した形での事業別コスト計算書を基にした決算説明書が作成し、実施計画・予算・行政コスト計算書の作成単位を統一した。行政コスト計算書である決算説明書には、事業ごとにそれぞれの担当課長の総括の欄が設けられ（略）、コストの分析と共に成果を公開した。

・費用が詳細に明らかとなったことで、各事業の意義・効果について説得力をもって説明する必要があり、今まで以上にPDCAサイクルを各課で実施し事業を展開していくことが求められている。（略）しかし、成果指標が設定されていないことは残念であり、市民に分かりやすい成果指標を定め的確な事業評価をされるよう要望する。

・財務書類、事業別コスト計算書(略)は作成して終わりではなく、活用されることが求められる。今後、他の自治体においても順次導入され、団体間比較が可能となる。福生市においても財務書類等を活用し、事業の成果や課題、今後どのように考えていくかなど、ＰＤＣＡサイクルのＣ（チェック）を行い、過去から継続して行われてきたとしてもプライオリティの低下した事務事業は廃止を検討するなど、事業の取捨選択を積極的に行うことを期待する。

【想定される質問等】

○　行財政改革における、地方公会計制度の導入の効果は主にどのような部分にあると考えているのか伺います。また、行政コスト計算書としてフルコスト情報を公表したことで、職員のコスト意識の醸成や住民の反応をどう分析しているのか伺います。

○　財務書類の経年比較から得られる情報や、近隣団体との財務書類の比較により、自団体の財政運営上の特徴点・課題について明らかとなった事項はどのようなものか伺います。

(5) 静岡県浜松市【平成28年度決算審査意見書】、「一般会計「総括意見」部分」[8]

【適正な固定資産台帳の作成】

統一的な基準による財務書類等の作成が必須となり、本市では28年度決算に関する公表資料から作成されている。その中で、固定資産台帳は、市の財産管理の基本となる資料であり、毎年、各所属から、公有財産、インフラ資産及び備品の取得、異動及び処分の情報を集約することにより作成されることから、財政課及びアセットマネジメント推進課は、固定資産台帳を適正な行政経営に活かすため、今後とも、各所属に対し正確な情報を提供するよう厳正な指導をされたい。

【想定される質問等】

和歌山市の質問等と同旨

4 小括

以上、新地方公会計に関する監査等の結果・意見を見てきましたが、新型コロナウイルス感染症拡大の影響により、かつてない厳しい財政状況に各団体も直面していると思います。新公会計制度の活用による事業の見える化や、行政評価への活用、公共施設の適正管理に向けた取組みなど様々な重要課題の解決に向けて、新地方公会計制度による財務書類の活用を検討していただきたいと思います。

【註】

1　総務省ＨＰ「地方自治制度の概要（委員会及び委員）」を参照のこと。

2　総務省「地方公会計の推進に関する研究会（令和元年度）報告書」（令和2年3月）を参照のこと。

3　外部監査結果については、以下の資料が参考となる。
・（各年度版）「包括外部監査の通信簿」全国市民オンブズマン連絡会議編
・日本公認会計士協会ＨＰ　公会計委員会研究報告第22号「地方公共団体の包括外部監査制度の現状について」
https://jicpa.or.jp/specialized_field/20180515usr.html

4　大分県ＨＰ　監査委員事務局「包括外部監査のテーマ、結果及び措置状況」（平成30年度）
https://www.pref.oita.jp/soshiki/24000/gaibu-thema.html

5　郡山市ＨＰ「包括外部監査の結果及び措置状況（平成30年度）」
https://www.city.koriyama.lg.jp/soshikinogoannai/kansaiinjimukyoku/gomu/1/gaibukansa/3371.html

6　和歌山市ＨＰ　監査「包括外部監査の結果　平成30年度」
http://www.city.wakayama.wakayama.jp/shisei/kansa/1008408/1008416.html

7　福生市ＨＰ　監査委員事務局「平成29年度行政監査」
https://www.city.fussa.tokyo.jp/municipal/outline/audit/1003549.html

8　浜松市ＨＰ　監査「平成29年度決算審査意見書（一般・特別会計及び基金の運用状況）」
https://www.city.hamamatsu.shizuoka.jp/kansa/kansa/ketusan/ketusan.html

第三部

行政のマネジメントプロセス監視のために

―新地方公会計の議会審議への活用―

第1章　新地方公会計活用にあたってのポイントと課題

第一部では、新地方公会計とは何か、また、財務書類の体系とその構成要素などについて解説しました。また、第二部では、さまざまな視点から具体的な活用事例をみてきました。

そこで第三部では、そのまとめとして議会審議での行政マネジメントプロセスの監視に向けた、新地方公会計の活用のポイントについて検討します。

本章では、第一部の各章に対応する形で、議会審議での活用に当たって留意すべきポイントと課題について、図表を用いて整理します。第一部も参照しながら読み進めていただきたいと思います。

★は議会審議での活用ポイントです。

1　新地方公会計統一基準による地方公会計整備（第一部・第1章）

新地方公会計統一基準設定の趣旨

従前、公会計では異なる方式の作成基準（モデル）が存在⇩比較可能性の困難性

民間の企業会計方式を念頭に、地方公共団体の特徴を活かした統一基準の設定

【利点】

★（官庁会計の）予算・決算制度では判らない行政の業績成果が見えてくる

★当該自治体の財政内容の効率化

★当該自治体の全体的・一体的な地方公共団体経営の強化につながる

議会としても質疑を通して、この制度の精緻化と合理化を推進することが必要

★行政内部に対しては、地方公会計の整備・推進と多面的な活用を要請

【財務書類の全体像と構成要素】

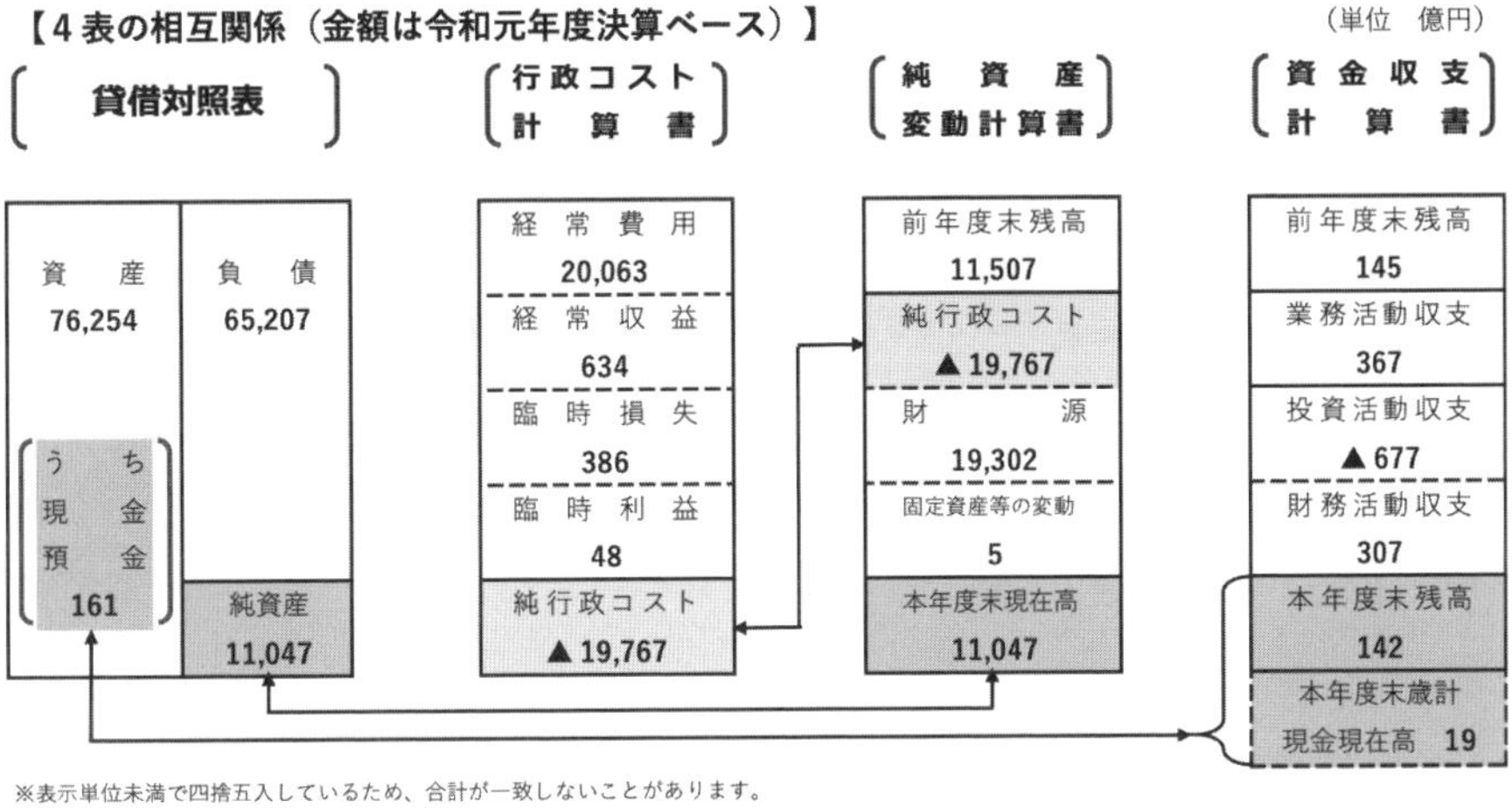

※表示単位未満で四捨五入しているため、合計が一致しないことがあります。

資料：北海道ＨＰ「令和元年度北海道の財務書類（概要版）」註１

★外部（住民等）にわかりやすい行政の業績情報を広く提供（ディスクロージャー）

2　固定資産台帳の作成（第一部・第2章）

固定資産台帳の整備目的

従前の「公有財産台帳（財産に関する調書）」では項目と数量のみの記載⇩金額把握の困難性

基準では、固定資産台帳の記載項目は必要最小限

固定資産台帳上、自団体のすべての資産（財産）の数量・金額を把握

⇦

★いわゆる財産目録としての機能を有する

★関心のある行政サービスの効率性・効果性を確認

★資産・施設ごとに行政評価上必要な追加項目を行政側に要請

★売却可能資産の処分等、保有する未利用地・低利用地の活用見直し等を要請

★資産売却後の資産活用、計画等の妥当性・合理性を確認

整備後の固定資産台帳の管理

固定資産台帳：作成後も毎年度、資産の増加・減少を洩れなく登録

自団体の保有する固定資産の管理が杜撰《ずさん》⇩損害の発生が懸念

★管理状況を確認

固定資産の適切な管理

老朽化比率や実際の損耗《そんもう》状況等の把握の必要性

償却資産建替・更新の管理

⇩公共施設等の老朽化対策という課題を数値化（見える化）する

⇩庁内で問題意識を共有

★減価償却計算：非現金支出費用⇩将来、当該資産建替等の資金積立を評価

★公共施設等総合管理計画及び個別管理計画の進捗

【令和元年度 固定資産台帳データ総括表（期末簿価）】

（単位：円）

区分		勘定科目	土地	立木竹	建物	工作物	船舶	航空機
事業用	知事	一般会計	183,437,458,572	242,288,044,300	177,221,986,561	15,094,692,189	1,050,625,801	2,343,600,002
	教育	一般会計	134,010,619,234		209,814,495,051	14,581,839,346	1,113,331,609	
	警察	一般会計	31,240,604,266		59,587,564,809	1,937,354,931		
	一般会計 小計		*348,688,682,072*	*242,288,044,300*	*446,624,046,421*	*31,613,886,466*	*2,163,957,410*	*2,343,600,002*
	知事	道住特会	65,868,712,376		136,560,738,317	7,764,254,868		
	事業用 小計		*414,557,394,448*	*242,288,044,300*	*583,184,784,738*	*39,378,141,334*	*2,163,957,410*	*2,343,600,002*
インフラ	道路		612,586,998,292			2,632,202,276,084		
	交通安全施設					14,395,576,801		
	河川		7,744,808		686,722,440	1,008,582,782,191		
	砂防		33,010,156			320,414,907,643		
	建設海岸					156,947,716,013		
	都市公園		9,015,827,828		6,796,408,041	6,191,543,689		
	空港		3,430,485,196		2,378,397,179	2,348,168,803		
	港湾海岸					1,199,379,518		
	農地防災施設		49,877,039		13,835,608	8,855,602,085		
	林道					11,341,571,199		
	治山					309,024,094,964		
	漁港・漁港海岸		8,022,009,547			577,352,880,427		
	インフラ 小計		*633,145,952,866*	*0*	*9,875,363,268*	*5,048,856,499,417*	*0*	*0*
合計			*1,047,703,347,314*	*242,288,044,300*	*593,060,148,006*	*5,088,234,640,751*	*2,163,957,410*	*2,343,600,002*

資料：北海道ＨＰ「固定資産台帳のページ　令和元年度固定資産台帳データ総括表（期末簿価）」註２

状況を確認
（公共施設等の老朽化対策の優先度を踏まえたメリハリのある予算編成）
★適切な将来の施設更新必要額の推計の確認

3 貸借対照表（BS）の作成（第一部・第3章）

貸借対照表の意義

団体の資産・負債・純資産の残高及び内訳を測定し財務結果を表示
⇦
団体保有資産の財政状態について確認
★保有有形固定資産（土地・建物・設備等）の評価額を確認
★有形固定資産の保有・管理の状況（大規模修繕や更新時期）を開示要請
★資産と必要な行政サービスの関係性の説明要請
★短期的な運用・運転資産である流動資産の現状把握
★資金フローの良好性を監視し、効率的・効果的な資金運用の確認

各種財政指標による類似団体比較
★類似団体比較により自市の財政状況をわかりやすく住民への説明を要請
★その際、指標の分析・評価を確認
★公共施設等総合管理計画との関連を確認
貸借対照表を通じた市全体の債権額の見える化
⇩未収債権の徴収体制の強化
★未収債権の全体像確認
★徴収体制の強化状況、職員の取組意識向上の確認

【一般会計等財務書類 (1)貸借対照表の事例】

〔各年度3月31日現在〕 （単位：億円）

	勘定科目	平成30年度 a	令和元年度 b	増減 b-a
【資産の部】	**固定資産**	**75,284**	**74,944**	**▲340**
	1 有形固定資産	**71,775**	**71,143**	**▲632**
	(1)事業用資産	22,567	22,697	130
	減価償却累計額	▲9,490	▲9,749	▲259
	(2)インフラ資産	114,374	115,860	1,486
	減価償却累計額	▲55,831	▲57,824	▲1,993
	(3)物品	615	629	14
	減価償却累計額	▲460	▲469	▲9
	2 無形固定資産	**18**	**17**	**▲1**
	3 投資その他の資産	**3,491**	**3,783**	**292**
	流動資産	**1,422**	**1,310**	**▲112**
	1 現金預金	**182**	**161**	**▲21**
	2 未収金	**41**	**42**	**1**
	3 短期貸付金等	**53**	**24**	**▲29**
	4 基金	**1,146**	**1,083**	**▲63**
	資産合計	**76,706**	**76,254**	**▲452**
【負債の部】	**固定負債**	**57,418**	**57,870**	**452**
	1 地方債	**52,043**	**52,820**	**777**
	（うち臨時財政対策債）	(16,861)	(17,058)	(197)
	2 長期未払金	**146**	**111**	**▲35**
	3 退職手当引当金	**4,908**	**4,690**	**▲218**
	4 損失補償等引当金	**310**	**239**	**▲71**
	5 その他	**10**	**10**	**0**
	流動負債	**7,782**	**7,337**	**▲445**
	1 1年以内償還予定地方債	**7,244**	**6,826**	**▲418**
	（うち臨時財政対策債）	(2,212)	(2,184)	(▲28)
	2 未払金等	**82**	**53**	**▲29**
	3 賞与等引当金	**455**	**459**	**4**
	負債合計	**65,199**	**65,207**	**8**
【純資産の部】純資産合計		**11,507**	**11,047**	**▲460**
負債及び純資産合計		**76,706**	**76,254**	**▲452**

資料：北海道ＨＰ「令和元年度北海道の財務書類（概要版）」

団体保有の負債の状態について確認
★長期的に返済の必要な地方債や退職手当の引当状況、運用・管理状況を監視
★1年以内に支払わねばならない短期的な債務や未払金の債務の管理状況

純資産の表示⇩自団体の財政的な体力又は次世代への引き継ぎを示す
★固定資産等形成分の表示（一番割合の大きい固定資産投資への金額）の水準の適切性の確認

【行政コスト計算書】

〔各年度4月1日～3月31日〕　　　　（単位：億円）

勘定科目	平成30年度 a	令和元年度 b	増減 b-a
経常費用	**19,743**	**20,063**	**320**
1　業務費用	**12,285**	**12,335**	**50**
(1)人件費	5,527	5,619	92
職員給与費等	4,896	4,878	▲18
賞与等引当金繰入額	455	459	4
退職手当引当金繰入額	176	282	106
その他	0	0	0
(2)物件費等	4,719	4,753	34
物件費	2,082	2,127	45
維持補修費	279	261	▲18
減価償却費	2,358	2,365	7
(3)その他の業務費用	2,040	1,963	▲77
支払利息等	404	339	▲65
徴収不能引当金繰入額	11	12	1
その他	1,625	1,612	▲13
2　移転費用	**7,457**	**7,727**	**270**
(1)補助金等	6,674	6,946	272
(2)社会保障給付	682	677	▲5
(3)他会計への繰出金	85	97	12
(4)その他	16	8	▲8
経常収益	**510**	**634**	**124**
1　使用料及び手数料	**281**	**280**	**▲1**
2　その他	**229**	**355**	**126**
純経常行政コスト	**▲19,233**	**▲19,428**	**▲195**
臨時損失	**433**	**386**	**▲47**
1　災害復旧事業費	**370**	**280**	**▲90**
2　資産除売却損	**49**	**27**	**▲22**
3　損失補償等引当金繰入額	**4**	**0**	**▲4**
4　その他	**10**	**79**	**69**
臨時利益	**11**	**48**	**37**
1　資産売却益	**11**	**48**	**37**
2　その他	**0**	**0**	**0**
純行政コスト	**▲19,655**	**▲19,767**	**▲112**

資料：北海道 HP「令和元年度北海道の財務書類（概要版）」

4　行政コスト計算書の作成（第一部・第4章）

行政コスト計算書の意義

行政サービスのトータルコストと対応する収入を計上（行政コストの純額表示）

⇐ 行政コストと行政成果との比較によって行政政策の成績を開示

★費用の多寡、行政サービスの実施が経済的・効率的・効果的かを確認

行政コスト計算書の様式から

（4表形式）

末尾の純行政コストを表示するために、「実施した行政サービスの経常コスト」と「その対価の経常収益」との差額の純経常行政コストの算定プロセスが示され、さらに臨時的な損失・利益を計算し、純行政コストを示している

【収益】行政サービスの対価

★収受すべき使用料及び手数料の決定プロセスと金額の妥当性を検証

【損失】

★災害復旧事業費の妥当性や投資損失の引当金繰入額の妥当性、正確性を検証

（3表形式）

4表形式の純行政コスト計算を受け、純資産変動計算書の財源の収入を加減して本年度差額を計算し、これに資産評価差額・無償所管換等を加減して本年度純資産変動額を算出

【純資産変動】

★変動要因（固定資産等形成分と余剰分）の分析

★純資産増減の要因を分析

行政目的別の行政コスト計算書

必要な行政目的別コスト計算

一つ一つの行政サービスのコストが明確になる

★一つの行政サービス実施の経済性・効率性・有効性を評価

★行政サービスの必要性や改良を図るべき点を審議（必要に応じ細分化）

セグメント分析による公民館の統廃合（施設の統廃合）等の政策決定

（必要性、実施可能性、採算性、住民満足度など）
★公民館1施設の統廃合
★中央公民館と各地域の分館方式で公民館事業
★施設管理のみを民間委託

セグメント分析による施設使用料の適正化
（受益者負担の適正化）
★「現行使用料」と「あるべき使用料」の比較のためのコスト計算の確認

5　純資産変動計算書の作成（第一部・第5章）

純資産変動計算書の意義

自団体の純資産（資産から負債を控除した正味財産）がどれほどあり、推移がどうなっているかを示す

既存の予算・決算情報、健全化判断比率等に加えて、投資家等の市場関係者が理解しやすい純資産変動計算書や連結財務書類等を地方債ＩＲ資料としてのみならず、議会の審議においても活用することで、財政状況の透明性をより一層高めることができます。

財政・財務の健全性を把握し、財務状態を見据えつつ、政策の方向性を審議

セグメント別、事業別に純資産変動計算書あるいは財源等の明細書の作成を要請

★（行政コストと財源の差額）本年度差額により行政活動の善し悪しを確認
★事業別のコストと業績・成果について審議

【財源】
★自団体の行政コストの財源である税収等と国県等補助金の調達状況を識別
★行政サービス活動を実施する際の財源のあり方、財源獲得・活用の成果を判断

【財源の明細】
★財源の使用が効率的・効果的か、調達プロセスを含めた業績・成果を確認

【財源情報】
（統一基準では純行政コストと財源の関係を簡素化）
★財源情報を行政コスト・成果と対応させて審議

【純資産変動計算書】

〔各年度4月1日～3月31日〕　（単位：億円）

勘定科目	平成30年度 a	令和元年度 b	増減 b-a
前年度末純資産残高	**12,112**	**11,507**	**▲605**
純行政コスト	**▲19,655**	**▲19,767**	**▲112**
財源	**19,151**	**19,302**	**151**
税収等	15,365	15,304	▲61
国県等補助金	3,785	3,998	213
本年度差額	**▲504**	**▲464**	**40**
資産評価差額	**1**	**1**	**0**
無償所管換等	**▲102**	**4**	**106**
その他	**0**	**0**	**0**
本年度純資産変動額	**▲605**	**▲460**	**145**
本年度末純資産残高	**11,507**	**11,047**	**▲460**

資料：北海道 HP「令和元年度北海道の財務書類（概要版）」

［財源情報の明細］

（支出フローに対応すべき財源の明細）

★自団体の支出区分に対応した財源内訳及びセグメント・事業別のフロー表の作成を要請⇩事業の財源の効率性・効果性を確認

［固定資産等の変動（内部変動）］

★自団体の固定資産等の増減の原因分析

6　資金収支計算書の作成（第一部・第6章）

資金収支計算書の意義

一年間の資金の動きが、業務・投資・財務活動の三つのグループで算定

⇩

各活動の収入額・支出額（黒字・赤字）により活動状況・業績を評価

★活動別の収支差額発生の原因、地方債残高など各収支差額間の妥当性を確認

★「予算要求特別枠の創設」の資料としての資金収支計算書の活用状況を確認

【業務活動収支】

★特に人件費、物件費、支払利息、補助金等支出、社会保障給付支出、他会計への繰出支出の妥当性・合理性と、経済性、効率性、有効性の観点で確認

【資金収支計算書】

〔各年度4月1日～3月31日〕（単位：億円）

	勘定科目	平成30年度 a	令和元年度 b	増減 b-a
【業務活動収支】	**業務支出**	**17,604**	**18,228**	**624**
	1 業務費用支出	**10,146**	**10,171**	**25**
	(1)人件費支出	5,758	5,832	74
	(2)物件費支出	2,361	2,388	27
	(3)支払利息支出	404	339	▲65
	(4)その他の支出	1,624	1,612	▲12
	2 移転費用支出	**7,457**	**8,057**	**600**
	(1)補助金等支出	6,674	6,946	272
	(2)社会保障給付支出	682	677	▲5
	(3)他会計への繰出支出	85	427	342
	(4)その他の支出	16	8	▲8
	業務収入	**18,580**	**18,659**	**79**
	1 税収等収入	**15,372**	**15,298**	**▲74**
	2 国県等補助金収入	**2,707**	**2,849**	**142**
	3 使用料及び手数料収入	**281**	**280**	**▲1**
	4 その他の収入	**221**	**233**	**12**
	臨時支出	**370**	**280**	**▲90**
	臨時収入	**290**	**216**	**▲74**
	業務活動収支	**897**	**367**	**▲530**
【投資活動収支】	**投資活動支出**	**4,644**	**4,518**	**▲126**
	1 公共施設等整備費支出	**1,675**	**1,889**	**214**
	2 基金積立金支出	**1,453**	**1,333**	**▲120**
	3 貸付金支出等	**1,517**	**1,296**	**▲221**
	投資活動収入	**3,554**	**3,842**	**288**
	1 国県等補助金収入	**789**	**933**	**144**
	2 基金取崩収入	**1,232**	**1,532**	**300**
	3 貸付金元金回収収入	**1,513**	**1,291**	**▲222**
	4 資産売却収入	**20**	**86**	**66**
	投資活動収支	**▲1,091**	**▲677**	**414**
【財務活動収支】	**財務活動支出**	**6,955**	**7,392**	**437**
	1 地方債償還支出	**6,897**	**7,341**	**444**
	2 その他の支出	**59**	**51**	**▲8**
	財務活動収入	**7,189**	**7,699**	**510**
	1 地方債発行収入	**7,188**	**7,699**	**511**
	2 その他	**0**	**0**	**0**
	財務活動収支	**234**	**307**	**73**
本年度資金収支額		**40**	**▲3**	**▲43**
前年度末資金残高		**105**	**145**	**40**
本年度末資金残高		**145**	**142**	**▲3**

本年度末歳計現金現在高	**38**	**19**	**▲19**
本年度末現金預金残高	**182**	**161**	**▲21**

資料：北海道 HP「令和元年度北海道の財務書類（概要版）」

★補助金等支出や繰出支出は、手続・基準準拠性を確認

★税収等・補助金収入の収受状況、使用料・手数料収入は適正性・合理性を確認

【投資活動収支】

★公共施設等整備費の経済性・効率性・有効性からの評価、基金積立の将来必要額の妥当性を確認

★投資・出資金の有効性、貸付金支出の管理の妥当性を確認

★補助金・基金の取崩しの適時性・合理性を確認

★貸付金元金回収：債権管理の妥当性を確認

【財務活動収支】

★地方債発行、地方債償還：手続の準拠性、発行・償還計画の必要性・妥当性、合理性を確認

【資金収支計算書附属明細書】

★資金残高の明細：現金残高の適正性、要求払預金残高・短期投資残高の妥当・合理性を評価

7　連結財務書類の作成（第一部・第6章）

連結財務書類の作成目的

連結財務書類により、自団体の財政・財務的な全体像が明らかになります。

⇦ 個別財務書類と（自団体と財務的に関係する諸団体を合算した）連結財務書類の比較

★関係団体の影響によって自団体の本来の財務状態が変化する状況を確認

連結の対象団体の網羅性と次の要点を把握、該当団体の関連資料・分析結果を要求

★一部事務組合・広域連合：経費負担割合の妥当性、地方独立行政法人：運営費交付金の適切性、地方三公社：債務保証・損失補償の適法性、第三セクター：存続の必要性・運営の妥当性、共同設立の法人・公社：業務運営の妥当性

8　財務書類の活用（第一部・第8章〜第10章）

財務書類の数値を活用する方策には、行政内部のマネジメントのためにマクロ的及びミクロ的に活用する方策と、外部発信のために活用する方法があります。財政運営や資産の管理、事業別・施設別のセグメント分析のために作成される資料をそれらの審議で活用し、また情報開示の妥当性を検証する必要があります。

行政運営のマクロ的視点

「公共施設等の老朽化」、「資産形成度」、「将来負担比率」等の財政指標の設定と分析を担当部署に要請

⇦ 自団体の財政運営上の課題と対応を確認

★適切な資産管理の状況確認

⇩固定資産の更新必要額、公共施設等総合管理計画の妥当性、未収債権等の各種債権の管理の適切性等について検証

【全体・連結財務書類】

① 構成等について

区分	内容
一般会計等	「一般会計」に「公営事業会計以外の特別会計」を加えたもの
全体	「一般会計等」に「公営事業会計」を加えたもの
連結	「全体」に「道と連携協力して行政サービスを実施する団体」を加えたもの

② 連結対象団体について（40団体（会計））

区分	団体（会計）		連結方法
公営事業会計	病院事業会計		全部連結
	電気事業会計		
	工業用水道事業会計		
	地方競馬特別会計		
	国民健康保険事業特別会計		
地方独立行政法人	北海道公立大学法人札幌医科大学		
	地方独立行政法人北海道立総合研究機構		
一部事務組合	石狩東部広域水道企業団（連結割合15%）		比例連結
	石狩西部広域水道企業団（連結割合20%）		
	苫小牧港管理組合（連結割合59%）		
	石狩湾新港管理組合（連結割合67%）		
地方公社	北海道土地開発公社		全部連結
	北海道住宅供給公社		
第三セクター等	（公社）北海道私学振興基金協会	（一財）道北地域旭川地場産業振興センター	
	（公社）北海道高等学校奨学会	（一財）札幌勤労者職業福祉センター	
	（公財）新千歳空港周辺環境整備財団	（株）苫東	
	北海道高速鉄道開発（株）	石狩開発（株）	
	道南いさりび鉄道（株）	北海道はまなす食品（株）	
	（公財）アイヌ民族文化財団	（公財）オホーツク地域振興機構	
	（公財）北海道障がい者スポーツ協会	（公社）北海道酪農検定検査協会	
	（公財）北海道地域医療振興財団	（公社）北海道家畜畜産物衛生指導協会	
	（公財）北海道健康づくり財団	（一社）北海道軽種馬振興公社	
	（公財）北海道生活衛生営業指導センター	（公財）北海道農業公社	
	（一社）北海道産炭地域振興センター	（公社）北海道栽培漁業振興公社	
	（公財）函館地域産業振興財団	（公財）北海道学校保健会	
	（公財）道央産業振興財団	（公財）北海道暴力追放センター	
	（公財）北海道中小企業総合支援センター		

資料：北海道HP「令和元年度北海道の財務書類（概要版）」

★資産形成度の財務比率の状況確認

⇩自団体の資産額の妥当性を検証するための指標、①住民一人当たり資産額、②有形固定資産の行政目的別割合、③歳入額対資産比率の資料に関して、資産規模が適切か、将来世代に関連する負担が適正であるかを検証

★資産老朽化度の財務比率の状況確認

⇩個別の施設ごとの老朽化の分析に必要な金額的・物理的データを要求し、有形固定資産等の施設の老朽化に対する更新、統廃合、長寿命化等の方策の妥当性・適正性を検証

【各種財務指標】

〔令和元年度　各種財務指標の算定〕

財務指標	平成30年度	令和元年度	増減	令和元年度の算定内容
有形固定資産減価償却率	53.1%	**54.3%**	＋1.2P	減価償却累計額 ÷ 有形固定資産取得価格 6兆7,574億円　12兆4,432億円
純資産比率	15.0%	**14.5%**	▲0.5P	純資産 ÷ 資産合計 1兆1,047億円　7兆6,254億円
行政コスト対税収等比率	125.2%	**126.9%**	＋1.7P	純経常行政コスト ÷ 税収等 1兆9,428億円　1兆5,304億円
受益者負担率	2.6%	**3.2%**	＋0.6P	経常収益 ÷ 経常費用 634億円　2兆0,063億円
基礎的財政収支	431億円	**▲170億円**	▲601億円	投資活動収支（基金積立金支出、取崩収入除く） ＋ 業務活動収支（支払利息支出除き） ▲876億円　706億円

資料：北海道 HP「令和元年度北海道の財務書類（概要版）」

★世代間公平性の財務比率の状況確認
⇩住民の現在と将来世代での負担の分担は財政運営の大きなポイント
⇩財務的・物理的資料を要求し、資産と地方債の管理が適切にマネジメントされているかを検証

行政運営のミクロ的視点（セグメント分析）

財務書類の事業別・施設別のセグメント分析を担当部署に要請⇩適切なセグメント分析のため、予算編成や政策評価等への活用のため、人件費等の按分基準設定の合理性を事前に検証

【予算編成の視点】
★施設別の行政コスト計算書等によって、自団体の予算編成プロセス、特に予算の積上げ、必要性、効果など、行政運営の効率的・効果的な実施の要である「予算管理の精密性」を検証
【施設の統廃合の視点】
★行政運営が受益者からの歳入によりどれほどの割合で賄われているかの財務的数値を把握し、自団

体の自律性を検証
★セグメント財務書類によって、最優先課題である施設の統廃合、活性化のために、公共施設の管理、特に必要性、更新費、採算性を検証
【受益者負担の適正化の視点】
★個別の施設別コストの財務資料によって使用料・手数料等の料金水準の合理性につながる、公共施設の必要性と採算性を分析し、受益者負担の合理的水準を検証
【PPP／PFIの積極的推進】
★さらなる積極的かつ実効性の高い民間提案等につながる、固定資産台帳の整備状況の検証
【行政評価との連携】
★行政運営の経済的・効率的・有効的な実行を確認する目的で行う、(事業計画時、事業継続中・事業終了時に)行政評価に関してコスト情報を用いて検証
【負債の状況の分析(自団体の持続可能性・財政の健全性分析)】
★①住民一人当たり負債額、②基礎的財政収支、③債務償還可能年数の財務指標によって、財政の健全性・債務残高の適正性の監視を検証
【行政コストの状況の分析】
★性質別・行政別・施設別の行政コスト計算及び明細書の作成を要請し、正確なコスト計算資料により、自団体の行政運営の効率性・能率性(ムダな支出を抑止)を検証
【財源の状況の分析】
★行政コストに使われた残額の税収財源を把握し、自団体の行政運営の弾力性、余裕度の合理性を検証
【その他会計書類等の分析】
★財務書類における「注記」⇩特に重要な後発事象、偶発債務に示されている自治体で発生しているリスクを嚆矢《こうし》として、追加情報の項目内容も確認
★附属明細書
有形固定資産の明細:自治体の主要かつ大きな割合部分を占める有形固定資産の本年度の増減内容等から財政的なリスク兆候を察知
基金の明細:基金明細表により自団体の留保資金の状況が判明することから、その十分性や使途・投資項目についての妥当性・合理性を確認
地方債の借入先別明細:自団体の借入状況が判明

することから、これを用いて、債務・負債の現状の妥当性や合理性について事業ごとに確認

行政外部での活用の視点（アカウンタビリティの履行目的）

多様な課題を解決するため、自治体自ら積極的に情報開示（ディスクロージャー）を行うことが必要
⇩財務書類数値が基本

また、予算及び決算の情報、地方債発行時の投資家向け説明内容、ＰＰＰ／ＰＦＩ導入時の民間事業者への説明内容などの情報が、事前に公表され、かつ開示内容が妥当であるか確認することが基本

⇩

開示内容の適正性・妥当性の前提に立って、施設別の行政コスト計算書の住民への開示により、コスト削減と市民サービス向上の両立を図りつつ、住民利用施設（図書館など）のアウトソーシング化（指定管理者制度への移行など）の理解を得るよう情報提供内容を確認

議会での審議活発化の手法例

財務書類やセグメント分析等のアニュアルレポートの議会提出なども進んでいますが、総務省では、ホームページ上で「地方公会計に関する取組事例集」を公表していますので、他団体の地方公会計の活用状況【総務省ホームページ「地方公会計に関する取組事例集（地方議会での活用／岐阜県美濃加茂市）註3など】を是非ご一読ください。

9　地方公会計の公監査（第一部・第12章）

地方公会計の公監査の目的

監査対象としている行政活動について、法規準拠性（コンプライアンス）の観点及び経済性（コストの低い購入）・効率性（能率のよい運営）・有効性（効果の達成）の観点（合わせて3Eという）に基づいた監査結果を、監査委員・各担当部署に提出依頼

⇩

行政成果の目標管理システムの監査

★各行政活動の政策別・事業別・施設別・業務別の目標指標の設定を各部署要請
⇩（作成後・年度末あるいは計画終了後）その合理性と達成結果の評価、以後の行政活動への反映を確認
行政成果目標達成の実行プロセスの監査
★行政の目標達成に向けた活動プロセスに関する監査資料・結果を参照して、政策方針との整合性や、各行政部署の活動成果を要求し、住民視点に立って評価
行政成果の達成度の監査
★包括的・詳細的に各行政活動の結果について監査し評価したプロセスに関する監査報告書・意見書等を要求し、問題点を抽出し、住民の視点で確認

第２章　議会での行政監視に関する質疑の留意点

１　はじめに

新地方公会計を活用した地方議会人の議会での行政監視のための質疑における出発点の基礎は、納税者から強制的に賦課、徴収した非対価的な税金が経済的資源であるということです。地方自治体は、大規模かつ複雑であると同時に、一般的に個々の納税者に対して有用性があるのではなく、むしろ社会全体に対して有用性を持ち、行政サービスの効率性や有効性に対する情報ニーズが必須であり、すべての住民の関心に対して向けられなければなりません。

【図表３−２−１】（次頁参照）はアメリカの地方自治体が示した自治体の行政全体の監視プロセスです。

地方議会人はこの行政プロセス全体をくまなく監視する責任があります。

２　行政活動リスクの監視

地方議会人が監視する際につねに保持していなけ

ればならないのが行政活動のリスク識別の観点です。このリスクは【図表3-2-2】に示すとおり、Aの法規準拠性に違反するリスク、Bの会計・決算の虚偽リスク、Cの行政活動の経済性・効率性・有効性（3E）の失敗（失政）リスクに大きく3分類できます。

【図表 3-2-1】完全な行政マネジメントプロセスの監視

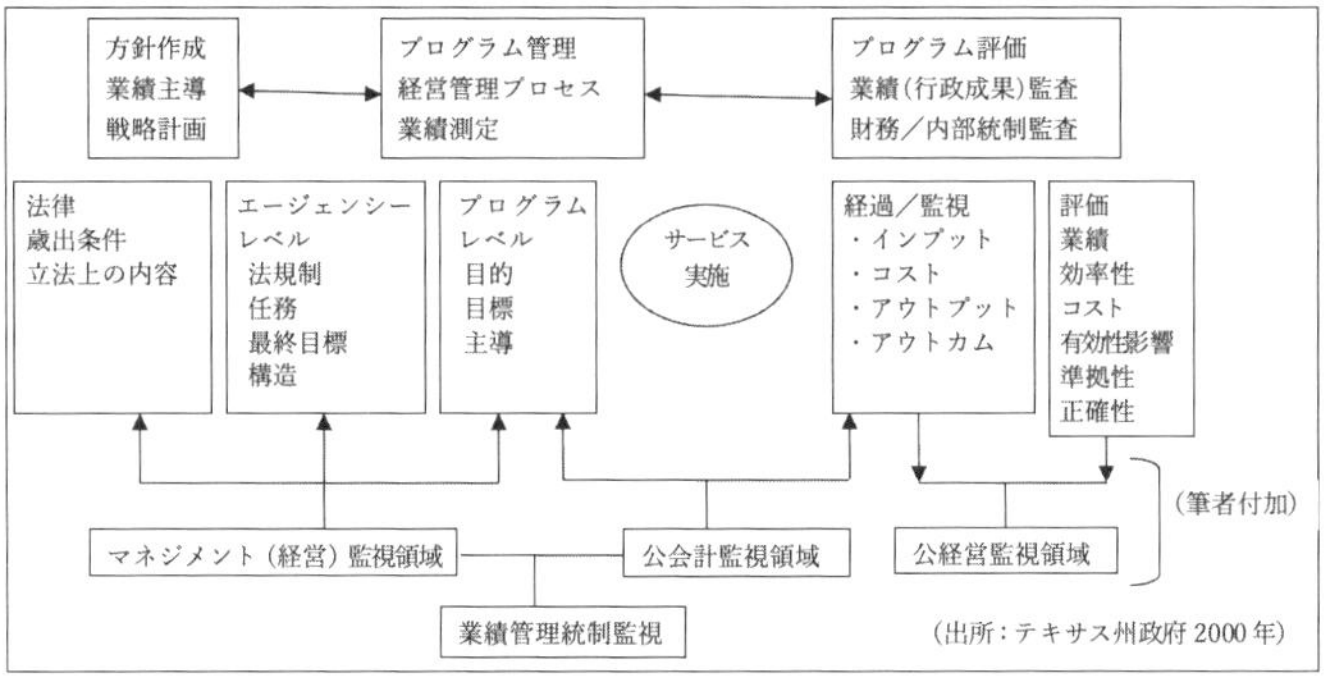

地方自治体では、行政リスク監視活動の主要な役割は立法府議員におかれているのであり、住民の権利を擁護する活動は、立法府議員を通して行われる政治的プロセスです。それゆえ、原則として最低限度の税金等投入額に対応した最高限度の住民へのサービスを提供することが要請され、予算・財政制度は、行政リスク監視活動の管理手段としての機能を果たすことになります。地方議会人

【図表 3-2-2】地方自治体の行政活動リスク体系

リスクの類型			主要なリスク（行政の失敗）例
A. 法規準拠性（コンプライアンス）リスク	① 合法性・適法性リスク		違法・非合法取引の発生、不正、隠ぺい工作
	② 合規性・準拠性リスク		非合規性・非準拠性取引の発生、規則違反
B. 財務正確性リスク	① 財務諸表・決算リスク		虚偽記載（粉飾・逆粉飾決算）、公会計基準の非準拠
	② 財務関連事項リスク		予算・決算虚偽記載、中長期計画の虚偽記載
C. 業績（行政成果・3E〜5E・VFM）リスク	① 経済性リスク		高額購入、公共調達・談合、経済性指標の虚偽記載
	② 効率性リスク		低品質購入、非効率な公共調達、効率性指標の虚偽記載
	③ 有効性リスク	③-i 目標達成（狭義の有効性）のリスク	アウトプット指標の虚偽記載、中長期計画の虚偽記載
		③-ii アウトカム（成果）のリスク	当初目標成果の非達成、短・中・長期アウトカム・インパクト指標の虚偽記載
		③-iii 代替案のリスク	代替案指標の虚偽記載、代替案選択プロセスの不正
		③-iv 価値判断のリスク	政策の必要性・価値判断指標の虚偽記載、恣意的な政策判断

は、このような観点から以下の質疑を発出してゆく必要があります。

3 法規準拠性リスクに対する質疑

法規準拠性リスクの視点には、①狭義の合法性（法規違反行為、不正、濫用）監視の観点と、②合規性・準拠性（政策方針および予算の目的・手続・契約・要件の妥当性・適切性、内部統制とガバナンスの有効性）監視の観点があります。

①狭義の合法性監視の観点からは、財政支出に対する直接的に準拠すべき法律および規則についての適法性を監視する。また、財政法規、予算法規および会計法規に適合しているかどうかの適法性や合法性・準拠性の観点で行われる。その他に、補助金の要件や契約に関する要件も監視対象とされ、予算に関する準拠性は、予算要求の実行可能性の検証も含めて監視対象となります。

また、②合規性・準拠性監視の観点からは、財政支出が意図された目的に合致しているかどうかを判定し、議会議決額を超過する支出や議決範囲外の支出の有無が監視対象となります。

〈質疑例〉

(1) 工事発注・物品購入の入札手続について、法律上の違反を予防する仕組みをどのように整備し、監視していますか。

(2) 未収債権の金額が多額となっていますが、滞納者への通知、接触は規則・要綱等で定められたとおり行われているか、どのように検証していますか。

(3) 自治体からの支払が遅れがちという声が寄せられていますが、現在契約履行後どの程度で支払われているのかを把握する監視方法は整備されているのか、また契約書で定めた支払期限からの遅延を防止する監視体制はどのようになっているのか伺います。

(4) 公共工事に関して安全関連法規を遵守しない事故が発生しましたが、工事の発注者側として、どのような指導監督を行う仕組みを構築していますか。

(5) 施設の貸出しについて、貸出しの利用規定違反の有無を常時どのように監視していますか。

(6) 施設のPPP、PFIの契約上の履行状況をどのように検証しているのですか。

4　会計・決算の正確性リスクに対する質疑

会計・決算の正確性リスクの視点には、①財務諸表・決算監視（財務諸表の適正性・適法性、決算の正確性）の観点と、②財務関連事項の監視（正確性・妥当性）の観点があります。

①財務諸表・決算監視の観点からは、地方自治体の財務状態および歳入・歳出について適正・適法な表示をしているかどうか、それらが関連する法律および適用される会計基準に準拠して正しく作成されているかどうかが監視されます。

一方、②財務関連事項の監視の観点からは、歳出明細表や固定資産台帳等の附属明細書、事業別・施設別等のセグメント情報、見積りと実績の差異、内部統制、補助金や契約に関する入札・説明および報告、コンピュータシステムを含む資産の保全リスクの監視があります。

〈質疑例〉

(1)　公有財産台帳の掲載漏れ・誤りの報告（誤謬訂正）がありましたが、歳入歳出決算から正確な台帳整備を行うための監視システムはどのようになっているのか、また、入力作業を行う各部署への適切な研修・指導は適切なものとなっているのか伺います。

(2)　決算の前段階として事務処理ミスが多発していますが、適正な会計・決算となるために、予算執行手続の不正・誤謬について、内部統制（内部統制制度の導入が法定されていない自治体はチェック体制）をどのように構築し、運用していますか。

(3)　民間活力の導入として年々ＰＦＩ事業が増加していますが、ＰＦＩ事業者との契約で定められた履行内容を確認する検査体制をどのように整備していますか、また、契約に規定されていない事象が発生した場合、事業者側との協議をどのように行っていますか。

※以下、新地方公会計の財務書類を決算議会に同時に提出している場合

(4)　次年度は使用料・手数料の見直しの時期ですが、公の施設に関する行政コスト計算書では、現金支出を伴わない経費も含めたフルコストを適正に算定する仕組みはどのように構築していますか。また、このフルコストを用いて様々な使用料・手数

料の算定を行っていくべきと考えますが見解を伺います。

(5)　A施設のフルコストでの行政コスト計算をしていますが、この計算結果を公共施設等マネジメントにどのように活用していますか。

(6)　B設備のイニシャルコストとライフサイクルコストの算定はしてありますか。その結果をどのように利用して方針を決定しますか。

(7)　予算編成の際に、施設別・事業別の中長期的コスト予測を算出し、方針を決定していますか。

(8)　議会での予算説明時に財務書類や非財務指標を用いた施設別・事業別のセグメント分析を行う必要があるのではないですか。

(9)　新地方公会計が効果的に機能するためには、固定資産台帳の精緻化と正確化が必要とされますが、本団体ではどの程度の完成度で、またどのように監視していますか。

5　行政成果（業績）のリスクに対する質疑

地方自治体の行政活動の成果・結果（業績）の視点には【図表3－2－2】にあるように、①経済性、②効率性、③有効性の観点があり、これらは3Ｅ・5Ｅ（3Ｅ＋公平性・倫理性）あるいはＶＦＭ（価値のある支出）とよばれます。

さらに、有効性は（狭義の）有効性と（広義の）有効性に区別され、（狭義の）有効性は（ⅰ）施策や政策、行政コストなどの目的や目標が達成されたかどうかの目的達成度（アウトプット）判定であるのに対し、（広義の）有効性には、（ⅱ）コストベネフィット分析などを用いてアウトカム（成果・影響度）を評価するもの、（ⅲ）代替案を作成してそれと比較して評価を行うもの、（ⅳ）価値判断を含む評価（政策の功罪・政治的判断の賢明性など）を行うものなども含まれます。

これらいずれかの観点から見えるリスクが顕在化すると失敗すなわち「無駄遣い」となるのであり、これらのリスクを議会人は監視しなければなりません。

つまり、業績（行政成果）については、【図表3－2－2】の類型Ｃの①、②、③（ⅰからⅳ）に示すリスクに対応して、以下のような監視が必要です。

①の「経済性」の監視とは、法規で決定または指定された職務および責任を実行するために、最小限

の行政コストを確保しているかどうかの監視です。

②の「効率性」の監視とは、提供する行政サービスのレベル、品質あるいはタイミングを減ずることのない最小限の行政コストで指定された目標達成がなされたかの監視です。

③の有効性の監視とは、最小限の合理的なコスト（経済性）で、予定された時間内やプロセス（効率性）で、予定されていた目的を達成したかどうかの行政目標達成度（アウトプットやアウトカム）の監視です。また、有効性の監視には他の実行可能な複数の政策代替案を検証することなども含まれます。

【図表3－2－3】は、3E・VFMなどの行政活動の成果またはリスクを測定・評価する観点をまとめたものです。これらは多様ですが、地方議会人はつねにこれらの視点を意識し、習熟し続ける必要があります。

また、実効性のある監視が行われるためには、行政活動の成果を判定する合理的な指標（数値目標等）の設定が重要です。

これに対して、不適切な欠陥のある指標の特質としては、遠回しのもの、間接的なもの、不明瞭なもの、曖昧なもの、歪められているもの、誘導するもの、過大視しているもの、不正確なもの、専門的すぎるもの、適合性を失っているもの、部分的すぎるものなどがあります。このことも議会人は認識していなければなりません。

【図表 3-2-3】 行政活動の成果またはリスク評価の観点

成果・リスク評価の観点
3E・・・
① economy（経済性）
② efficiency（効率性）
③ effectiveness（有効性）
4E・・・
④ equity（公平・公正性）または environment（環境）
5E・・・
⑤ ethics（倫理性）
VFM・・・
value＝prudence（賢明性）, due diligence（相当の注意）,
regularity or compliance（合規性・準拠性）, probity（誠実性）,
integrity（健全性）, equity（公平性）

〈質疑例〉

(1)図書館の統廃合について、住民のニーズ、コストの効率化、利用の効果等の指標はどのように設定して評価・判定しましたか。

(2)公共施設の行政評価に際して、課題の把握、意思決定過程の判断材料としての施設別行政コストの総額、行政サービスの物理的指標すなわち当該施設の利用状況の目標と実績、利用実態の把握はどのように行っていますか。

(3)施設の更新・維持管理費用の削減のため、施設の効率性、有効性を評価してコスト比較を行っていますか。

(4)公共施設のＰＰＰやＰＦＩによる民間提案について、その準拠性、効率性、有効性をどのような観点で評価したのですか。

(5)施設活用の費用対効果を判定するために、イニシャルコストとライフサイクルコストをどのように比較し、住民のニーズ分析をどのように行ったのですか。

(6)設備の購入とリースの選択を判定するために、それぞれの場合の総コスト、サービス内容をどのように評価したのですか。

(7)本団体の行政マネジメントのＰＤＣＡサイクルを効果的に回すために、職員のコスト意識や行政成果目標達成意識の向上について、どのようにして促進を図っていますか。

第３章　新地方公会計のあり方や考え方が首長側に浸透しているかを問う「一歩進んだ想定質疑」

1．当市の財政は厳しいといわれているが、統一的基準で作成された貸借対照表でみると資産と負債の差の純資産は大きくプラスであり、どこが問題なのか？

【解説】

地方財政では施設整備時に国から補助金（国庫支

出金）と起債そして、償還経費の地方交付税措置が取られるのが基本になります。したがって、取得する固定資産の財源は、国庫支出金と地方債及び自己財源（基金等）の取崩・充当となります。

このことから、施設整備によって、少なくとも国庫支出分だけ資産と負債の差（純資産）が増加する構造になります。これが、形式的に地方財政が良く見える要因の一つです。純資産がプラスの要因を首長部局が的確に認識しているかを確認することがまず必要なための質問です。

したがいまして、議会としては、資産のうち換金可能な資産（基金などの「投資その他資産」に計上しているものを含みます）と負債を対照して、『将来必要な財源が確保されているか』、『どの程度の地方債を発行して償還可能か』について首長（執行部局）の財政計画を検証することが重要です。

2．将来の公共施設やインフラの更新が大変といわれているが、公会計で示されている減価償却累計額は施設整備基金などの積立額を上回っており、どのように財源を調達しようとしているのか？

【解説】

施設の更新時に、基金などの自己財源だけで調達できれば、地方債の発行も国からの補助も必要ありません。その意味で減価償却累計額だけに基金の積み立てがあれば留保資金で更新ができることとなり、新たな住民の負担も生じません。その状態が健全財政としては良いかもしれません。

しかし、基盤施設であれば国は財政支援を行うのは当然であり、自治体としても更新財源として予定することも合理性はあります。したがって、更新資金の全額を減価償却見合いの基金で賄う必要はないと判断してよいでしょう。

議会として重要なのは、次の点の検証です。『すべての施設を更新する必要があるか』、『逆に不要な施設は廃棄し、新しい需要に応じた施設は整備するという施設計画が策定されているか』、『その資金は取得価額ベースの減価償却累計額を基準に推計してよいか（質や機能の向上で金額が高くなっていたり、逆に経済的な方法がある可能性もある）』

3．先進国の自治体では決算は企業会計方式の財務諸表だけで、我が国の決算書と財務書類の2つを作成することはしていない。どうして2つの決算関係書類を作成しなければいけないのか？

【解説】

我が国では地方自治法及び地方財政法により予算・決算の方式と様式が法定化されています。したがって、現金主義と出納整理期間による決算書の作成は義務です。

新地方公会計統一基準に基づく「財務書類」は、大臣通知に基づく決算の参考・補完資料です。その意味で2本立てになっているのは事実ですが、議会として、『財務会計システムのデジタル化などを通じて現行制度の予算・決算と公会計システムを自動的に連携させる』などにより、効率化あるいは、実質的な一本化に向けた提案や議論をすることは有益と思います。

4．類似自治体と公会計のデータを用いた比較をする場合に、どのような視点が必要か？　当市はどうして物件費が大きいのか？

【解説】

行政サービスの質と量とが、同じかどうかが重要です。

財政が豊かな自治体では国の基準を上回る措置（児童生徒の医療費の無償化とか公立学校の国に先行した少人数学級編成など）をしていることがあります。こうした場合には一人あたりの経費が大きくなったりします。

また、移転費用になる社会保障給付費（扶助費）については地域の人口構造や経済活動によって差が生じますので、「性質別や目的別の経費の額」（行政コスト計算書）についても注意した行政運営が重要です。

物件費の増加では人件費との関係に着目し、民間委託の推進で人件費が減少しているかの検討が必要です。

また、物件費に含まれる減価償却費は既に発生した経費（埋没原価）であり、削減は困難であることにも配慮しなければなりません。

5．一人当たりのインフラ資産の額について、当市が大きいのはなぜか？

【解説】

まず、インフラ資産の評価は古いものは備忘価額（1円）になっていることが多く、固定資産台帳や公有財産台帳の整備が不完全ですと正確性に欠ける恐れがありますので、他自治体との比較は慎重に行う必要があります。

できれば比較対象と一緒にベンチマーキング的にともに学習する視点で取り組む姿勢が重要です。そのうえで、道路、水道や下水道などでは、地形などの構造（河川や防災）や人口配置によってインフラの整備範囲や量が異なることがあります。自然条件と社会居住状態を踏まえた比較となるような指標の開発を首長部局とともに検討することが必要です。

また、今後の災害多発に備え、安全度の確保・向上とインフラの整備方針（たとえば都市のコンパクト化や危険地帯の警告による人口移動を促すなど）について議員と地域住民で対話し首長部局に提案することも重要になってきています。

結びに代えて

本書は、２年間24回にわたる「月刊地方議会人」の連載を、（一社）青山公会計公監査研究機構の研究員メンバーが分担して、「地方議会人が、新地方公会計に関連して議会での質疑に立つ際に、役立つと思われる知識や観点、留意点」について解説してきたものを中心に企画・編集したものです。

結びに当たっては、行政を監視する立場にある議会人の方々が、地方自治体の行政活動に伴う諸段階のリスクに着目して質疑に当たっていただくことの重要性を強調すべく、第3部では、行政監視の視点を中心にまとめとしました。

本書が議会人の皆様に有用であれば幸いです。

【参考文献】
鈴木豊・山本清編著『実例　新地方公会計統一基準と財務書類の活用』中央経済社、２０２０年
鈴木豊編著『自治体経営監査マニュアル』ぎょうせい、２０１４年
鈴木豊著『政府・自治体・パブリックセクターの公監査基準』中央経済社、２００４年

【註】
1　北海道ホームページ「財務書類等　令和元年度決算　1　令和元年度北海道の財務書類（概要版）」
http://www.pref.hokkaido.lg.jp/sm/zsi/koukaikei/R1_zaimusyorui_00gaiyou.pdf
2　北海道ホームページ「財務書類等　令和元年度決算　3　北海道総務部行政局財産課固定資産台帳のページ　令和元年度固定資産台帳データ総括表（期末簿価）」
http://www.pref.hokkaido.lg.jp/sm/gzs/unyou/kotei/koteisisanndaityo.htm
3　総務省ホームページ『地方公会計に関する取組事例集「情報開示　議会での活用（岐阜県美濃加茂市）」』
https://www.soumu.go.jp/main_content/000680063.pdf

【ま行】

【や行】

【ら行】

【は行】

【た行】

【さ行】

索　引

【英数】

【あ行】

【か行】

平　光正（たいら　みつまさ）

一般社団法人青山公会計公監査研究機構主任研究員、千葉県浦安市専門委員（公会計）、地方監査会計技術者 (CIPFA Japan)、青山学院大学大学院会計プロフェッション研究科専門職学位課程修了。日本政策投資銀行設備投資研究所主任研究員、静岡産業大学教授などを経て現職。

【主要業績等】

『公会計・公監査の基礎と実務』（共著、法令出版）、『自治体経営監査マニュアル』（共著、ぎょうせい）、『新地方公会計財務書類作成統一基準』（共著、ぎょうせい）、『100 問 100 答　新地方公会計統一基準』（共著、ぎょうせい）、『新　地方公会計基準』（共著、税務経理協会）、『自治体連結経営のための会計・公藍査ガイドブック』（共著、同文舘出版）等。

【本書担当】 第２部（第４、５、10 章）

林　賢（はやし　けん）

一般社団法人青山公会計公監査研究機構主任研究員、青山学院大学大学院会計プロフェッション研究科博士後期課程修了、博士（プロフェッショナル会計学）。

【主要業績等】

『公会計講義』（共著、税務経理協会）、『業績（行政成果）公監査論』（共著、税務経理協会）、『新地方公会計基準』（共著、税務経理協会）、『公会計・公監査の基礎と実務」（共著、法令出版）、『自治体経営監査マニュアル』（共著、ぎょうせい）、『新地方公会計財務書類作成統一基準』（共著、ぎょうせい）、『100 問 100 答 新地方公会計統一基準』（共著、ぎょうせい）、『自治体連結経営のための会計・公監査ガイドブック』（共著、同文舘出版）等。

【本書担当】 第２部（第３、７、11 章）、第３部（第１章）

石井和敏（いしい　かずとし）

一般社団法人青山公会計公監査研究機構主任研究員、青山学院大学大学院 会計プロフェッション研究科博士後期課程標準年限修了。

【主要業績等】

『公会計講義』（共著、税務経理協会）、『業績（行政成果）公監査論』（共著、税務経理協会）、『公会計・公監査の基礎と実務』（共著、法令出版）、『自体治経営監査マニュアル』（共著、ぎょうせい）、『新 地方公会計財務書類作成統一基準』（共著、ぎょうせい）、『100 問 100 答新地方公会計統一基準』(共著、ぎょうせい）、『新 地方公会計基準』（共著、税務経理協会）、『自治体連結経営のための会計・公監査ガイドブック』（共著、同文舘出版）等。

【本書担当】 第２部（第２、８章）

執筆者紹介

鈴木　豊（すずき　ゆたか）

学校法人青山学院常任監事、青山学院大学名誉教授、博士（経営学）（明治大学）、東京有明医療大学客員教授、公認会計士・税理士、一般社団法人青山公会計公監査研究機構理事長。総務省「今後の新地方公会計の推進に関する研究会」座長、同「地方公営企業法の適用に関する研究会」座長、同「公営企業の経営のあり方に関する研究会』座長、同『地方公営企業法の適用に関する研究会』座長、同「人口減少社会等における持続可能な公営企業制度のあり方に関する研究会」座長、地方公共団体金融機構「経営審議委員会」委員長代理、東村山市「使用料等審議会」会長等。

【主要業績等】

『新地方公会計統一基準の完全解説』、『政府・自治体・パブリックセクターの公監査基準』、『自治体の会計・監査・連結経営ハンドブック』、『学校法人の経営監査・監事監査、内部監査ハンドブック』、『税務会計法』（以上単著、中央経済社）、『公会計講義（編著、税務経理協会）、『地方自治体の財政健全化指標の算定と活用』（単著、大蔵財務協会）、公会計・公監査の基礎と実務』（編著、法令出版）、『自治体経営監査マニュアル』（編著、ぎょうせい）、『新地方公会計財務書類作成統一碁準』（編著、ぎょうせい）、『100 問 100 答 新地方公会計統一基準』（編著、ぎょうせい）、『自治体連結経営のための会計・公監査ガイドブック』（共著、同文舘出版）他多数。

【本書担当】 第１部（全）、第３部（第２章）

山本　清（やまもと　きよし）

鎌倉女子大学・学術研究所・教授、東京大学名誉教授、博士（経済学）（京都大学）、東京大学大学院客員教授、一般社団法人青山公会計公監査研究機構主任研究員、国際公会計学会副会長。中央省庁・自治体の経営・評価・監視の審議会・研究会等の委員多数。専門は政府・大学の経営・政策。

【主要業績等】

『政府会計の改革』（単著、中央経済社）、『「政府会計」改革のビジョンと戦略』（編著、中央経済社）、『パブリック・ガバナンス』（共著、日本経済評論社）、『アカウンタビリティを考える』（単著、NTT 出版）、『国立大学法人経営ハンドブック（第１巻〜第３巻）』（大学改革支援・学位授与機構（編集委員会主査））等。

【本書担当】 第２部（第１、６、９章）、第３部（第３章）

編著者紹介

一般社団法人　青山公会計公監査研究機構
(Aoyama Public Sector Accounting and Auditing Research Organization)

所在地：東京都港区南青山二丁目14番13号

設立：平成25年3月

理事長：鈴木豊

（青山学院大学名誉教授・学校法人青山学院常任監事、公認会計士・税理士）

目的：

公共的、公益的機関の公会計、公監査制度の構築によって、国民社会に寄与すること。その目的に資するため、次の事業を行う。

（1）政府、地方公共団体等の公的機関の公会計・公監査の理論・基準の研究

（2）公的機関の業績（行政成果）・公監査の理論・基準の研究

（3）パブリックセンターの公会計・公監査・検査・監察・評価制度の研究

（4）上記各号に関する出版・研修事業

市町村議員のためのわかりやすい新地方公会計

2021年11月18日　初版発行

編　著	一般社団法人青山公会計公監査研究機構
監　修	青山学院大学名誉教授　鈴木　豊
発　行	株式会社中央文化社
〒102-0082	東京都千代田区一番町25番地 全国町村議員会館
	http://chuobunkasha.com
電　話	(03) 3264 - 2520
FAX	(03) 3264 - 2867
振　替	00120 - 1 - 141293
印刷所	株式会社エデュプレス

Book Design　Takemi Otsuka

乱丁・落丁はお取り替え致します。

ISBN978-4-9911765-0-0　C0031